15 SHORT STORIES ABOUT

CATS

IN INTERMEDIATE GERMAN

JENNY GOLDMANN

BELLANOVA

MELBOURNE · SOFIA · BERLIN

15 Short Stories About Cats

in Intermediate German

www.bellanovabooks.com

Copyright © 2023 by Jenny Goldmann

ISBN: 978-619-264-084-2
Imprint: Bellanova Books

CONTENTS

INTRODUCTION

Welcome to "Short Stories about Cats in Intermediate German," where you'll find a delightful collection of heartwarming, humorous, and sometimes silly tales about our feline companions. If you're a cat lover, or even just a cat admirer, this book is purr-fect for you!

Travel with us on adventures around Germany, Switzerland, and Austria, and learn more about the culture and language as you go.

We understand that language learning can be difficult, which is why this book is perfect for intermediate German learners at a B1-B2 level. If you're an A2 level learner, don't worry! You'll still be able to enjoy many of these stories. Keep your dictionary handy, and you'll be amazed at how quickly you'll progress!

WHY SHORT STORIES?

Short stories are a great way to improve your German language skills. They allow you to feel a sense of achievement after just a few pages, which is a great motivation for learners. Moreover, these stories are written specifically for intermediate German learners, so you won't struggle to reach the end.

Reading short stories in German can also help you improve your vocabulary, including idiomatic expressions and colloquialisms that are commonly used in everyday conversations.

Additionally, they help you to understand the structure and grammar of the German language, improving your grammar and sentence structure skills, as well as your understanding of German syntax.

How to use this book

To get the most out of this book, we recommend the following tips:

Read regularly: Make a habit of reading in German on a regular basis. This will help you to build up your vocabulary and grammar skills over time.

Take notes: As you read, take notes on new words and phrases that you come across. You can also note down sentence structures and grammar rules that you find difficult to understand.

Practice speaking: Use the new vocabulary and grammar that you have learned in the short stories in your conversations with other German speakers. This will help you to internalize the language and improve your fluency.

Test yourself: Use the quiz at the end of each story to test your knowledge, and use the speaking/writing prompts to challenge yourself even further.

And finally, don't forget to take breaks to cuddle your own furry friend! Enjoy the stories, and watch your German language skills grow.

KÄTHE UND DIE WURST

Käthe war eine kleine, süße deutsche Katze, die in einer kleinen Stadt in Deutschland lebte. Sie war bekannt für ihre flauschigen Ohren und ihr weiches Fell. Jeder mochte Käthe und sie war immer glücklich, wenn sie mit den Menschen in ihrer Umgebung spielen und kuscheln konnte.

Eines Tages, als Käthe durch die Stadt spazierte, traf sie auf eine Gruppe von Katzen, die sie noch nie zuvor gesehen hatte. Sie waren groß und stark und schauten Käthe mit hochgezogenen Nasen an.

"Was ist mit dir los, kleine Käthe?", fragte

eine der Katzen. "Warum isst du keine Würstchen? Jede Katze in Deutschland liebt Würstchen!"

Käthe war verwirrt. Sie hatte noch nie Würstchen probiert und war sich nicht sicher, ob sie sie mochte oder nicht.

"Ich weiß nicht", sagte Käthe. "Ich habe sie

noch nie probiert."

Die Katzen lachten und spotteten über Käthe.

"Du bist keine echte deutsche Katze, wenn du keine Würstchen magst!"

Käthe fühlte sich traurig und alleingelassen. Sie wollte unbedingt dazugehören und von den anderen Katzen akzeptiert werden.

Also beschloss sie, eine Wurst zu probieren. Sie ging zum nächsten Imbissstand und bestellte eine Wurst. Als sie sie jedoch probierte, fand sie sie gar nicht so lecker.

Die anderen Katzen sahen, wie Käthe an der Wurst knabberte, und begannen erneut zu lachen.

"Siehst du!", rief eine der Katzen. "Ich wusste, dass du keine echte deutsche Katze bist! Du magst nicht einmal Würstchen!"

Käthe fühlte sich noch schlechter als zuvor.
Sie hatte alles versucht, um dazuzugehören,
aber es funktionierte einfach nicht.

Aber dann hatte sie eine Idee. Sie würde
zeigen, dass es in Deutschland noch andere
Dinge gibt, die genauso gut schmecken wie
Würstchen.

Sie lief zum nächsten Bäcker und kaufte eine
Brezel. Dann probierte sie die Bretzel und sie
war köstlich! Die anderen Katzen schauten
zu und waren erstaunt.

"Wow, das sieht gut aus", sagte eine der
Katzen. "Kann ich auch einen Bissen haben?"

Käthe nickte und reichte ihr eine Brezel. Die
anderen Katzen probierten sie und waren
begeistert.

"Das ist wirklich lecker!", sagten sie. "Wir wussten nicht, dass es in Deutschland noch andere Dinge gibt, die genauso gut schmecken wie Würstchen."

Von diesem Tag an war Käthe nicht mehr allein. Sie hatte neue Freunde gefunden, die sie akzeptierten, so wie sie war. Und sie zeigte ihnen, dass es in Deutschland noch viele andere leckere Dinge gibt, die man ausprobieren kann.

Aber das war nicht das Ende der Geschichte. Eines Tages kehrten die Katzen aus Käthes Nachbarschaft von einem Ausflug zurück und brachten Würstchen mit. Sie begannen, sie zu essen und luden Käthe ein, sich ihnen anzuschließen.

Käthe schaute auf die Würstchen und dachte daran, wie schlecht sie sie beim letzten Mal fand. Sie zögerte einen Moment, aber dann erinnerte sie sich an ihre Erfahrung mit den Brezeln und beschloss, es noch einmal zu versuchen.

Sie schnupperte an den Würstchen und probierte vorsichtig einen Bissen. Zu ihrer Überraschung fand sie sie diesmal köstlich. Sie konnte nicht genug davon bekommen und aß mehrere Würstchen.

Die anderen Katzen schauten erstaunt zu, wie Käthe die Würstchen genoss. Sie freuten sich, dass sie Käthe geholfen hatten, neue Geschmacksrichtungen zu entdecken.

"Wir haben uns geirrt", sagte eine der Katzen zu Käthe. "Es geht nicht darum, was du isst oder nicht isst, sondern darum, dass du es ausprobierst. Es ist wichtig, offen für neue Erfahrungen und Möglichkeiten zu sein."

Käthe nickte zustimmend und fühlte sich

glücklich und zufrieden. Sie hatte nicht nur neue Freunde gefunden, sondern auch gelernt, dass es wichtig ist, mutig zu sein und neue Dinge zu probieren.

Von diesem Tag an war Käthe eine glückliche und aufgeschlossene Katze. Sie hatte gelernt, dass es in Deutschland und in der Welt noch so viele andere Dinge gibt, die man ausprobieren und genießen kann. Und sie wusste, dass sie immer Freunde haben würde, die sie akzeptieren und lieben, egal was sie isst oder nicht isst.

TESTE DICH SELBST

1. Was passierte, als Käthe versuchte, Würstchen zu essen, nachdem die anderen Katzen sie deshalb gehänselt hatten?

2. Was zeigte Käthe den anderen Katzen, nachdem sie Probleme damit hatte, sich in der Gruppe zu integrieren?

3. Was lernte Käthe aus ihrer Erfahrung mit den Würstchen und den Brezeln?

DISKUSSION -- SCHREIBEN ODER SPRECHEN

1. Hast du schon einmal etwas ausprobiert, das du vorher nicht mochtest, und hast es dann doch gemocht, wie es Käthe mit den Würstchen passiert ist?
2. Denkst du, es ist wichtig, offen für neue Erfahrungen und Möglichkeiten zu sein, wie Käthe es gelernt hat? Warum oder warum nicht?
3. Wie fühlt es sich an, in einer Gruppe ausgeschlossen zu sein, wie es Käthe am Anfang der Geschichte passiert ist? Hast du selbst schon einmal so etwas erlebt und wie bist du damit umgegangen?

Antworten:

1. Als Käthe das erste Mal versuchte, Würstchen zu essen, fand sie sie gar nicht so lecker. Beim zweiten Mal fand sie Würstchen aber köstlich und konnte nicht genug davon bekommen. Die anderen Katzen waren erstaunt darüber und freuten sich, dass Käthe neue Geschmacksrichtungen entdeckte.

2. Käthe zeigte den anderen Katzen, dass es nicht darum geht, was man isst oder nicht isst, sondern darum, offen für neue Erfahrungen und Möglichkeiten zu sein. Sie lernte, mutig zu sein und neue Dinge auszuprobieren.

3. Käthe lernte, dass es wichtig ist, mutig zu sein und neue Dinge zu probieren. Sie erkannte, dass es in Deutschland und in der Welt so viele andere Dinge gibt, die man ausprobieren und genießen kann, und dass sie immer Freunde haben würde, die sie akzeptieren und lieben, egal was sie isst oder nicht isst.

MIAS MAGISCHES WEIHNACHTSABENTEUER

Es war einmal ein kleines Kätzchen namens Mia, das mit seiner Familie in einer gemütlichen Wohnung lebte. Eines Tages beschlossen ihre Besitzer, sie mit auf die Nürnberger Weihnachtsmärkte zu nehmen, um die festliche Atmosphäre zu genießen.

Mia war aufgeregt, als sie all die wunderbaren Lichter und Gerüche sah. Sie lief herum und sah sich alles an, aber als es Zeit war zurückzukehren, war Mia nirgendwo zu finden.

Ihre Familie suchte überall nach ihr, aber es schien, als wäre sie spurlos verschwunden. In der Zwischenzeit hatte sich Mia hinter die

Bühne geschlichen und landete plötzlich in einem geheimen Raum. Sie sah sich um und bemerkte, dass sie von Elfen umgeben war!

Die Elfen erzählten ihr von ihrem geheimen Weihnachtsland, das hinter den Kulissen der

Nürnberger Weihnachtsmärkte verborgen war. Mia war erstaunt und fasziniert. Sie hatte noch nie zuvor von diesem Ort gehört.

Die Elfen luden sie ein, das Weihnachtsland zu erkunden und gemeinsam begannen sie ein aufregendes Abenteuer. Sie fuhren mit Schlitten durch den Schnee, bauten Schneemänner und besuchten sogar den Weihnachtsmann.

Doch plötzlich wurde das Abenteuer von einer unerwarteten Wendung überschattet. Während sie durch das Weihnachtsland wanderten, wurde Mia von einem bösen Schneemann angegriffen! Der Schneemann war von einer dunklen Magie erfüllt und hatte sich gegen die Elfen und Mia gewandt.

Mia und die Elfen versuchten zu fliehen, aber der Schneemann war zu mächtig. Mia war in großer Gefahr und wusste nicht, wie sie entkommen sollte. Plötzlich tauchte ein mysteriöser Elf auf, der sich als der Hüter des Weihnachtslandes entpuppte.

Er half Mia und den Elfen, den bösen Schneemann zu besiegen und brachte sie in sein Versteck tief im Herzen des Weihnachtslandes. Dort enthüllte er Mia die tiefsten Geheimnisse des Weihnachtslandes.

Er erzählte ihr von einer geheimen Kammer, in der sich ein besonderes Geschenk befand, das nur von jemandem gefunden werden konnte, der die Kraft hatte, die Geheimnisse des Weihnachtslandes zu ergründen. Mia war neugierig und beschloss, das Geschenk zu suchen.

Gemeinsam mit dem Hüter des Weihnachtslandes und den Elfen machte sie sich auf den Weg zur geheimen Kammer. Doch der Weg dorthin war voller Gefahren.

Sie mussten durch dunkle Wälder und gefährliche Täler gehen und sich gegen magische Kreaturen verteidigen.

Als sie endlich die Kammer erreichten, fanden sie das Geschenk - einen magischen Schlüssel, der die Tür zur magischen Welt der Weihnachts-Elfen öffnete. Der Hüter des Weihnachtslandes übergab den Schlüssel an Mia und sagte ihr, dass sie damit die Tür zur magischen Welt öffnen könne.

Mia war aufgeregt und neugierig auf die magische Welt der Weihnachts-Elfen. Sie nahm den Schlüssel in ihre Pfote und öffnete die Tür. Hinter der Tür befand sich eine wundersame Welt voller Leckereien und Abenteuer.

Die Weihnachts-Elfen begrüßten Mia herzlich und führten sie durch ihre Welt. Sie zeigten ihr ihre Werkstätten, wo sie Spielzeug,

Süßigkeiten und Geschenke herstellten. Mia war beeindruckt von der Kreativität und dem Fleiß der Elfen.

Die Elfen luden Mia ein, an ihren Weihnachtsfeiern teilzunehmen. Es gab Musik, Tanz und eine Fülle von köstlichen Leckereien. Mia hatte noch nie zuvor so viel Spaß gehabt.

Als die Nacht hereinbrach, begann Mia müde zu werden. Die Elfen führten sie zu einem gemütlichen Bett aus weichen Decken und Kissen, in dem sie einschlief. In ihren Träumen sah sie sich selbst als Teil der Weihnachts-Elfen, die Geschenke herstellten und Freude in die Herzen der Kinder brachten.

Am nächsten Morgen wachte Mia auf und fühlte sich erfrischt und glücklich. Sie bedankte sich bei den Elfen für ihre Gastfreundschaft und den magischen

Aufenthalt in ihrer Welt. Der Hüter des Weihnachtslandes geleitete Mia zurück zur Tür, die sie in die Menschenwelt zurückführte.

Mia kehrte in die Wohnung ihrer Familie zurück und wurde mit Freude empfangen. Ihre Besitzer waren erleichtert, dass sie Mia wieder in ihre Arme schließen konnten. Mia war jedoch verändert. Sie hatte eine Welt voller Magie und Wunder entdeckt, von der sie nie zuvor gewusst hatte.

In den nächsten Jahren kehrte Mia jedes Jahr zu den Nürnberger Weihnachtsmärkten zurück. Sie besuchte ihre Freunde, die Elfen, und erlebte immer wieder neue Abenteuer. Sie wusste, dass es noch viele Geheimnisse in der Welt der Weihnachts-Elfen zu entdecken gab und freute sich darauf, jedes Jahr dorthin zurückzukehren.

TESTE DICH SELBST

1. Was war der Name des Kätzchens in der Geschichte und warum ging es auf die Nürnberger Weihnachtsmärkte?

2. Was passierte, als Mia hinter der Bühne landete und was entdeckte sie in der Welt der Weihnachts-Elfen?

3. Wie war Mias Einstellung gegenüber den Weihnachts-Elfen, nachdem sie ihre Welt entdeckt hatte, und was tat sie in den nächsten Jahren?

DISKUSSION -- SCHREIBEN ODER SPRECHEN

1. Welches war dein Lieblingsteil der Geschichte von Mia auf den Nürnberger Weihnachtsmärkten und warum?

2. Wenn du die Tür hinter der Bühne entdecken würdest, was glaubst du, welche Art von magischer Welt würdest du finden?

3. Weißt du noch, als du zum ersten Mal jemanden ein Weihnachtsgeschenk gemacht hast? Was war es und wer war der Empfänger?

ANTWORTEN

1. Der Name des Kätzchens war Mia und es ging auf die Nürnberger Weihnachtsmärkte, um ihre Familie zu begleiten und die weihnachtliche Atmosphäre zu genießen.

2. Als Mia hinter der Bühne landete, fand sie eine Tür, die zu einer magischen Welt voller Leckereien und Abenteuer führte. Sie traf die Weihnachts-Elfen und sah ihre Werkstätten, wo sie Spielzeug, Süßigkeiten und Geschenke herstellten.

3. Nachdem Mia die Welt der Weihnachts-Elfen entdeckt hatte, war sie begeistert von ihrer Kreativität und ihrem Fleiß. In den nächsten Jahren kehrte Mia jedes Jahr zu den Nürnberger Weihnachtsmärkten zurück, um ihre Freunde, die Elfen, zu besuchen und immer wieder neue Abenteuer zu erleben.

FELIX' ALPENTRAUM

Es war ein kalter Wintermorgen, als Kater Felix erwachte. Er sah aus dem Fenster und sah den Schnee, der die Straßen bedeckte. Felix hatte einen großen Traum - er wollte in den österreichischen Alpen Ski fahren!

Er wusste, dass es ein langer Weg dorthin war, aber er war fest entschlossen, es zu schaffen. Felix suchte im Internet nach Informationen und fand heraus, dass er mehrere Züge und Busse nehmen musste, um dorthin zu gelangen.

Felix packte seine Tasche mit allem, was er brauchte, und machte sich auf den Weg. Er ging zur Bushaltestelle und wartete geduldig. Endlich kam der Bus, aber als er einstieg, merkte er, dass es kein Platz für seine Tasche

gab. Er musste die Tasche auf seinen Schoß nehmen und sich auf den Boden setzen.

Der Bus fuhr durch verschneite Dörfer und atemberaubende Landschaften. Felix war so aufgeregt, dass er kaum stillsitzen konnte.

Nach ein paar Stunden erreichte er den Bahnhof und stieg in den Zug ein. Der Zug fuhr durch den Winterwald und Felix war froh, dass er diesmal einen freien Sitz finden konnte.

Als er in Wien ankam, musste er in einen anderen Zug umsteigen. Aber der Zug hatte Verspätung und Felix musste eine Stunde warten. Er langweilte sich, aber er wusste, dass er sein Ziel nicht aus den Augen verlieren durfte.

Endlich erreichte er die österreichischen Alpen. Felix stieg aus dem Zug und sah die hohen Berge. Er atmete tief ein und roch die frische Luft. Er konnte es kaum erwarten, seine Skier anzuziehen und den Berg hinunterzufahren.

Felix kaufte eine Skiausrüstung und begann zu üben. Er fiel oft, aber er stand immer wieder auf und versuchte es erneut. Er traf auch viele andere Tiere, die Skifahren liebten. Sie halfen ihm, seine Technik zu verbessern und den Berg sicher hinunterzufahren.

Eines Tages traf er einen Fuchs namens Max. Max war ein erfahrener Skifahrer und lud Felix ein, mit ihm auf eine gefährliche Piste zu gehen. Felix war zunächst besorgt, aber er wollte unbedingt etwas Neues ausprobieren.

Sie fuhren den Berg hinunter, doch es war schwieriger als Felix erwartet hatte. Die Piste war sehr steil und voller Hindernisse. Felix fiel und rutschte auf den Boden, aber Max half ihm jedes Mal aufzustehen.

Schließlich erreichten sie das Ende der Piste. Felix war erleichtert und stolz auf sich selbst. Er hatte eine große Herausforderung gemeistert. Es war eine unvergessliche Erfahrung.

Felix blieb eine weitere Woche in den Alpen und lernte immer mehr, wie man Ski fährt. Er fuhr auf verschiedenen Pisten und traf viele andere Tiere. Am Ende seiner Reise war er ein selbstbewusster Skifahrer, der seinen Traum verwirklicht hatte.

Als er nach Hause zurückkehrte, war er glücklich und zufrieden. Er hatte eine lange Reise hinter sich, die jede Minute wert war. Felix hatte nicht nur seinen Traum verwirklicht, sondern hatte er auch neue Freunde gefunden und wertvolle Erfahrungen gesammelt.

Er erzählte seinen Freunden von seiner aufregenden Reise. Sie waren begeistert von seinen Abenteuern und wollten nun auch in den Alpen Ski fahren.

Felix war stolz darauf, dass er seine Freunde inspiriert hatte. Er wusste, dass jeder seinen Traum verwirklichen konnte, wenn er nur hart genug dafür arbeitete und niemals aufgab.

In den nächsten Wochen und Monaten fuhren Felix und seine Freunde oft zusammen Ski. Sie lernten gemeinsam und hatten eine Menge Spaß dabei. Felix war glücklich darüber, dass er seine Leidenschaft für das Skifahren mit anderen teilen konnte.

Viele Jahre später erinnerte sich Felix gerne an seine Reise in die österreichischen Alpen zurück. Er hatte nicht nur seinen Traum verwirklicht, sondern auch Freundschaften geschlossen und tolle Erfahrungen gesammelt.

Felix wusste, dass er immer neue Träume haben wird und hart arbeiten musste, um sie zu verwirklichen. Er war zuversichtlich, dass er alles erreichen konnte, was er sich vornahm, solange er nie aufgab und immer seinen Traum im Blick behielt.

TESTE DICH SELBST

1. Wohin wollte Felix reisen?

2. Was für Transportmittel hat Felix benutzt, um dorthin zu gelangen?

3. Was haben Felix und seine Freunde nach seiner Reise zusammen unternommen?

DISKUSSION -- SCHREIBEN ODER SPRECHEN

1. Hast du schon einmal davon geträumt, in den österreichischen Alpen Ski zu fahren?

2. Welchen Traum möchtest du gerne verwirklichen?

3. Was für Abenteuer hast du auf deinen Reisen schon erlebt?

ANTWORTEN

1. Felix wollte in den österreichischen Alpen Ski fahren.
2. Felix benutzte Züge und Busse, um dorthin zu gelangen.
3. Felix und seine Freunde fuhren oft zusammen Ski und hatten eine Menge Spaß dabei.

BORIS REIST IN DER ZEIT ZURÜCK

Es war einmal eine Katze namens Boris, die in einer ruhigen Gegend in Berlin lebte. Boris war eine neugierige und abenteuerlustige Katze, die sich sehr für Geschichte interessierte. Er hörte von einem Freund, dass es in Berlin viele Museen gab, die ihm helfen würden, mehr über die deutsche Geschichte zu erfahren. Boris war begeistert und beschloss, alle Museen zu besuchen, um mehr über die Vergangenheit Deutschlands zu erfahren.

Er begann seine Reise im Deutschen Historischen Museum. Boris war sofort von den vielen Artefakten und Gemälden überwältigt, die er in den Hallen sah. Er stellte

sich vor, wie die Soldaten kämpften und wie die Menschen in verschiedenen Epochen lebten. Besonders fasziniert war er von der Geschichte des Zweiten Weltkriegs und den Helden, die gegen die Nazis kämpften.

Als nächstes besuchte Boris das Jüdische Museum Berlin. Hier lernte er über die

Geschichte der Juden in Deutschland und ihre Beiträge zur deutschen Gesellschaft. Er erfuhr auch, wie die Juden im Zweiten Weltkrieg verfolgt und ermordet wurden. Boris war tief bewegt von den vielen Geschichten über die Verfolgung und das Leid der Juden. Er wusste, dass er diese Geschichten nicht vergessen und sie anderen Katzen und Menschen erzählen würde.

Boris fuhr fort, das Deutsche Technikmuseum Berlin zu besuchen, wo er mehr über die Technologie und die Erfindungen lernte, die Deutschland im Laufe der Jahrhunderte hervorgebracht hat. Er lernte auch, wie die Technologie im Zweiten Weltkrieg verwendet wurde und wie sie das Leben der Menschen veränderte. Boris war fasziniert von den verschiedenen Maschinen und Entwicklungen, die er im Museum sah.

Boris besuchte das Berliner Stadtmuseum.

Dort erfuhr er mehr über die Geschichte der Stadt Berlin selbst. Er lernte über die vielen Regierungen, die die Stadt im Laufe der Jahre regiert haben, und wie die Stadt im Zweiten Weltkrieg schwer beschädigt wurde. Boris war erstaunt über die vielen Geschichten und Bilder, die er sah und er erkannte, dass die Geschichte der Stadt untrennbar mit der Geschichte Deutschlands verbunden war.

Boris besuchte schließlich das Museum für Naturkunde. In diesem Museum lernte er mehr über die Natur und die Tierwelt. Er lernte über die vielen Tiere, die in Deutschland heimisch sind, und wie sie sich an ihre Umgebung anpassen. Zusätzlich erlangte er viel Wissen über die vielen Arten von Pflanzen und Blumen, die in Deutschland wachsen. Boris war begeistert von der Schönheit und Vielfalt der Natur, sodass er beschloss, öfter in die Natur zu gehen und sie zu erkunden.

Nach vielen Wochen des Besuchens von Museen und des Lernens über die deutsche Geschichte kehrte Boris schließlich in sein kleines Haus zurück. Er war glücklich und erfüllt von all dem Wissen, welches er gesammelt hatte. Er wusste, dass er in der Lage war, anderen Katzen und Menschen alles zu erzählen, was er gelernt hatte.

Als Boris älter wurde, begann er, in Schulen und Bibliotheken zu sprechen, um anderen über die Geschichte Deutschlands zu erzählen. Er erzählte von den Helden und Kämpfern des Zweiten Weltkriegs und wie sie ihr Leben aufs Spiel setzten, um Freiheit und Gerechtigkeit zu verteidigen. Er erzählte von den vielen Menschen, die während des Krieges verfolgt und ermordet wurden, und wie wichtig es war, ihre Geschichten zu erzählen, um sicherzustellen, dass so etwas nie wieder passieren würde.

Boris wurde bei Kindern und Erwachsenen sehr beliebt, die ihn für seine lebhafte Art und sein Engagement für die Geschichte liebten. Er wurde zu einem Symbol für die Bedeutung des Lernens und der Weitergabe von Wissen. Viele Menschen kamen zu ihm, um Fragen zu stellen oder einfach nur zuzuhören, während er über die Geschichte Deutschlands sprach.

Eines Tages erfuhr Boris von einem neuen Museum, das in Berlin eröffnet werden sollte. Es war das Museum für die Geschichte des Kalten Krieges, das die Zeit der Spannungen zwischen den USA und der Sowjetunion in den 1950er bis 1980er Jahren beleuchtete. Boris war sehr aufgeregt und beschloss, das Museum zu besuchen, sobald es eröffnet wurde.

Als Boris das Museum betrat, war er erstaunt von den vielen Objekten und Dokumenten, die er sah. Er sah Uniformen der Soldaten, die an der Berliner Mauer patrouillierten, sowie Spionageausrüstung, die von beiden Seiten benutzt wurde. Boris lernte auch über die politischen Spannungen und Konflikte zwischen den USA und der Sowjetunion, die fast zu einem Atomkrieg geführt hatten.

Während Boris durch das Museum wanderte, hörte er plötzlich ein Geräusch und rannte in Richtung des Klangs. Er fand einen versteckten Raum, der mit alten Kisten und Papieren gefüllt war. Boris begann, durch die Kisten zu stöbern und fand schließlich einen alten Koffer mit dem Namen "Katzenkampf" darauf.

Als Boris den Koffer öffnete, fand er viele Dokumente und Fotografien von einer Gruppe von Katzen, die während des Kalten Krieges für die USA und die Sowjetunion spionierten. Es gab auch ein Tagebuch, das von einer

Katze namens Kiki geschrieben wurde, die für die USA spionierte. Kiki erzählte von den vielen gefährlichen Missionen, die sie ausführen musste, um wichtige Informationen zu sammeln.

Boris war fasziniert von dieser Geschichte und beschloss, mehr darüber zu erfahren. Er begann, in Büchern und im Internet zu recherchieren. Er fand heraus, dass es tatsächlich viele Katzen gab, die während des Kalten Krieges als Spione eingesetzt wurden. Boris war erstaunt und beschloss, eine Ausstellung über die Katzen-Spione zu machen, um anderen davon zu erzählen.

Die Ausstellung war ein großer Erfolg und viele Menschen kamen, um die Geschichte der Katzen-Spione zu erfahren. Boris wurde zu einer Berühmtheit und viele Menschen bewunderten ihn für seine Entdeckung. Er wurde zu einem Symbol für die Bedeutung des Lernens und der Entdeckung neuer Dinge.

Boris war sehr glücklich und erfüllt mit seinem Leben als Geschichtslehrer und Entdecker. Er besuchte weiterhin Museen und Bibliotheken, um mehr über die Geschichte zu erfahren, und teilte sein Wissen mit allen, die es hören wollten. Er wurde zu einem wichtigen Teil der Gemeinschaft in Berlin und war eine Quelle der Inspiration für viele Menschen.

Eines Tages wurde Boris krank und konnte nicht mehr so aktiv sein wie früher. Er verbrachte viel Zeit zu Hause und vermisste es, die Welt zu erkunden. Aber er gab nicht auf und beschloss, seine Erfahrungen und sein Wissen auf eine andere Weise zu teilen.

Boris begann, ein Buch zu schreiben, in dem er all die Geschichten und Entdeckungen sammelte, die er im Laufe seines Lebens gemacht hatte. Er schrieb über seine Abenteuer in den Museen und Bibliotheken und teilte seine Begeisterung für die Geschichte mit den Lesern. Das Buch wurde ein großer Erfolg und viele Menschen wurden von Boris' Geschichten inspiriert.

Boris war sehr glücklich, dass er seine Erfahrungen und sein Wissen auf diese Weise teilen konnte. Er hatte das Gefühl, dass er etwas Wichtiges für die Welt geleistet hatte und dass seine Arbeit und seine Entdeckungen weiterleben würden, auch wenn er nicht mehr da war.

Schließlich, als Boris alt und schwach wurde, entschied er sich, seine letzten Tage im Museum für die Geschichte Deutschlands zu verbringen. Er wurde von den Menschen, die er inspiriert hatte, begleitet und verbrachte seine letzten Tage inmitten der Gegenstände und Dokumente, die er so sehr geliebt hatte.

Als Boris starb, wurde er von vielen Menschen vermisst. Aber sein Erbe lebte weiter. Entdeckungen und Geschichten wurden von Generation zu Generation weitergegeben. Boris hatte gezeigt, dass man in jeder Lebensphase lernen und entdecken kann und dass die Entdeckung neuer Dinge eine Quelle der Freude und des Glücks sein kann.

Das Museum für die Geschichte Deutschlands beschloss, eine Statur von Boris zu errichten, um ihn und seine Arbeit zu ehren. Die Statur zeigt Boris in einer lebhaften Pose, die seine Begeisterung für die Geschichte und seine Bereitschaft, immer mehr zu lernen, darstellt.

Die Menschen in Berlin erinnern sich heute noch an Boris und seine Leidenschaft für die Geschichte. Er wird für immer in ihren Herzen und Erinnerungen, als ein Symbol für die Bedeutung des Lernens und der Entdeckung, bleiben.

TESTE DICH SELBST

1. Was war Boris' größte Leidenschaft?

2. Wie hat Boris seine Erfahrungen und sein Wissen geteilt, als er krank wurde?

3. Was hat das Museum für die Geschichte Deutschlands getan, um Boris zu ehren?

DISKUSSION -- SCHREIBEN ODER SPRECHEN

1. Hast du schon mal eine Leidenschaft entdeckt, die dich so sehr begeistert hat wie Boris' Leidenschaft für die Geschichte?

2. Welches Museum hast du zuletzt besucht und was hast du dort gelernt?

3. Wie denkst du, können wir mehr Menschen dazu inspirieren, sich mehr für Geschichte und Entdeckungen zu interessieren?

ANTWORTEN

1. Boris' größte Leidenschaft war die Geschichte Deutschlands. Er war fasziniert von der Vergangenheit des Landes und besuchte alle Museen in Berlin, um mehr darüber zu erfahren.

2. Als Boris krank wurde, begann er ein Buch zu schreiben, um seine Erfahrungen und sein Wissen mit anderen zu teilen.

3. Das Museum für die Geschichte Deutschlands beschloss, eine Statur von Boris zu errichten, um ihn und seine Arbeit zu ehren.

SCHOKOLADENWUNDERLAND IN DER SCHWEIZ

E s war ein sonniger Tag in Köln, als Basti, eine neugierige und abenteuerlustige Katze, auf eine Schachtel Schweizer Schokolade stieß. Er war von ihrem köstlichen Geschmack verzaubert und konnte nicht aufhören, sie zu essen. Doch während er die Schokolade genoss, begann er sich zu fragen, wie sie hergestellt wurde. So beschloss Basti, auf eine faszinierende Reise nach Zürich zu gehen, um mehr über die Herstellung dieser wunderbaren Schokolade zu erfahren.

Basti machte sich auf den Weg und begab sich auf eine Reise voller Abenteuer und Entdeckungen. Auf seinem Weg nach Zürich durchquerte er viele Städte und Landschaften.

Er sah majestätische Berge, endlose Wiesen und wunderschöne Flüsse. Er traf auch viele andere Tiere, wie Hunde, Vögel und sogar andere Katzen, die ihm halfen, den Weg zu finden.

Als Basti endlich in Zürich ankam, besuchte er eine Schokoladenfabrik. Dort traf er den Schokoladenmeister, der ihm alles über die Herstellung von Schweizer Schokolade erklärte. Basti war fasziniert von all den verschiedenen Schritten, die notwendig waren, um die Schokolade herzustellen. Er lernte, dass die Schweizer Schokolade aus den besten Zutaten wie feinster Milch, Kakao und Zucker hergestellt wird. Er erfuhr auch, dass Schweizer Schokolade einen höheren Kakaoanteil als andere Schokoladen hat, was ihren einzigartigen Geschmack ausmacht.

Basti war beeindruckt von der Leidenschaft und Sorgfalt, mit der die Schokolade

hergestellt wurde. Er half sogar dabei, einige Schokoladentafeln zu formen, bevor er weiter auf seiner Reise ging. Auf seinem Weg traf er auch viele andere Katzen und Tiere, die ihm halfen, die Schönheit und den Reichtum der Schweiz zu entdecken.

Während seiner Reise hatte Basti auch die Gelegenheit, andere interessante Dinge zu erleben. Er besuchte das Züricher Opernhaus und sah eine Aufführung von Mozarts Die Zauberflöte. Er besuchte auch den Züricher Zoo und traf viele exotische Tiere.

Nach einigen Tagen in Zürich beschloss Basti, dass es Zeit war, nach Hause zurückzukehren. Aber er war nicht traurig, denn er hatte so viel erlebt und gelernt. Auf dem Rückweg nach Köln dachte er an all die wunderbaren Schokoladentafeln, die er in der Schweiz gesehen hatte, und er freute sich darauf, seinen Freunden von dieser faszinierenden Reise und seinen Abenteuern zu erzählen.

Als Basti schließlich in Köln ankam, war er voller Freude und Aufregung. Er erzählte seinen Katzenfreunden von all den wunderbaren Dingen, die er gesehen und erlebt hatte. Er brachte ihnen auch einige Schokoladentafeln mit, die er in der Schweiz gekauft hatte, und sie alle genossen die schmackhaften Schokoladen zusammen. Es war eine Reise, die Basti nie vergessen würde, und er wusste, dass er immer an diese aufregenden Abenteuer zurückdenken würde.

Als Basti sich entspannte und sich an all die Erfahrungen erinnerte, wurde ihm klar, dass er noch viel mehr entdecken und erleben wollte. Er beschloss, in Zukunft noch mehr Abenteuer zu erleben und mehr über die Welt um ihn herum zu lernen.

So begann Basti, seine Tage damit zu verbringen, die Welt um ihn herum zu erkunden und zu entdecken. Er besuchte andere Länder und lernte andere Kulturen und Bräuche kennen. Er traf neue Tiere und knüpfte Freundschaften mit ihnen. Aber am wichtigsten war, dass er immer auf seine Neugier und Abenteuerlust hörte und keine Chance verpasste, etwas Neues zu lernen und zu entdecken.

So ging Bastis Leben weiter, voller Abenteuer und Entdeckungen, während er die Welt um sich herum erkundete und sich an all die wunderbaren Dinge erinnerte, die er gesehen und erlebt hatte. Er war immer bereit für das nächste Abenteuer und das nächste große Erlebnis, das ihn erwartete. Denn für Basti war das Leben eine unendliche Quelle der Inspiration und des Wunders, und er wusste, dass es noch so viel zu entdecken gab.

TESTE DICH SELBST

1. Welche Frage hatte Basti, die ihn auf eine Reise nach Zürich führte?

2. Was war die größte Überraschung, die Basti während seiner Reise nach Zürich erlebt hat?

3. Was hat Basti nach seiner Reise entschieden zu tun?

DISKUSSION -- SCHREIBEN ODER SPRECHEN

1. Hast du schon einmal eine ähnliche Reise wie Basti unternommen, um etwas Neues zu lernen oder zu entdecken?

2. Was denkst du, war die größte Lektion, die Basti auf seiner Reise gelernt hat?

3. Was ist das Abenteuerlichste, das du jemals erlebt hast, und welche Lektion hast du daraus gelernt?

1. Basti wollte wissen, wie die wunderbare Schweizer Schokolade hergestellt wird.

2. Die größte Überraschung für Basti war, dass es in der Schweiz so viele Berge gibt und dass die Schokoladenherstellung ein komplizierter Prozess ist.

3. Basti entschied, sein Leben damit zu verbringen, die Welt zu erkunden und neue Abenteuer zu erleben, um mehr über andere Kulturen, Tiere und Bräuche zu erfahren.

DIE UNERWARTETE FREUNDSCHAFT

In Berlin gab es eine Katze namens Laura, die sich oft langweilte und nichts zu tun hatte. Eines Tages hörte sie ein seltsames Geräusch in ihrer Wohnung und entdeckte, dass es eine kleine Maus war, die versuchte, etwas zu essen zu finden. Anstatt sie zu jagen, beschloss Laura, sich mit der Maus anzufreunden. Die Maus stellte sich als Mathilda vor und erzählte Laura, dass sie eine Expertin für unterirdische Tunnel in Berlin war.

Laura war begeistert von dieser Idee und fragte, ob Mathilda ihr die Tunnel zeigen könne. Mathilda war glücklich, ihre Kenntnisse zu teilen und die beiden Freunde begannen ihre Reise.

Mathilda führte Laura durch eine enge, dunkle Passage und plötzlich tauchte ein helles Licht auf. Laura konnte es nicht glauben - sie waren in einem geheimen Tunnelnetz, das sich unter Berlin erstreckte. Mathilda führte sie zu einem geheimen Mäuseclub, wo sie eine Party feierten, bei der Mäuse aus der ganzen Stadt zusammenkamen.

Laura war von der Party so begeistert, dass sie beschloss, ihre Reise mit Mathilda fortzusetzen. Mathilda führte sie durch Tunnel, die Laura niemals hätte finden können, und sie trafen einige interessante Charaktere auf ihrer Reise.

Eines Tages kamen sie an einem schrecklichen Ort vorbei, an dem eine Gruppe von Ratten von einem riesigen Kater terrorisiert wurde. Laura wollte ihnen helfen, aber sie war zu ängstlich, um sich zu nähern. Mathilda erkannte, dass Laura in Schwierigkeiten war und rief ihre Freunde zu Hilfe. Sie riefen alle Mäuse und Ratten aus dem Tunnel und gemeinsam beschlossen sie, den Kater zu besiegen.

Die Freunde entwarfen einen Plan und Mathilda führte die Gruppe in eine geheime Kammer, in der sie Waffen und Rüstungen fanden. Laura und Mathilda griffen den Kater von hinten an, während die Ratten und Mäuse ihn von vorne attackierten. Der Kampf war hart und lange, aber schließlich besiegten sie den Kater und retteten die Ratten.

Die Ratten waren dankbar für die Hilfe von Laura und Mathilda und sie beschlossen, ihre Freundschaft zu vertiefen. Sie feierten ihren Sieg mit einem großen Fest, zu dem alle Tiere aus den Tunneln eingeladen wurden.

Während des Festes stellten Laura und Mathilda fest, dass sie eine besondere Verbindung zueinander hatten. Sie begannen ihre eigenen Abenteuer in den Tunneln zu erleben und trafen auf viele interessante Charaktere. Von diesem Tag an waren Laura und Mathilda unzertrennliche Freunde und sie eroberten gemeinsam die Tunnel von Berlin.

Ihre Abenteuer führten sie zu einigen der

spektakulärsten Orte der Stadt und sie entdeckten viele Geheimnisse, die vorher verborgen geblieben waren. Laura war glücklich, dass sie eine neue Welt entdeckt hatte und ihre Tage nicht mehr mit Langeweile füllen musste.

Mathilda war nicht nur eine Freundin, sondern auch eine Mentorin für Laura. Sie lehrte sie, dass Mut und Entschlossenheit der Schlüssel waren, um ihre Ängste zu überwinden und neue Erfahrungen zu sammeln. Laura begann, sich mehr und mehr zu öffnen und wagte es, neue Dinge auszuprobieren.

Eines Tages beschlossen Laura und Mathilda, dass es Zeit war, ihre Abenteuer auf die nächste Stufe zu bringen. Sie planten eine Reise in die Tiefen des unerforschten Tunnelnetzes, das unter der Stadt lag. Laura war aufgeregt, aber auch ein wenig besorgt, da sie wusste, dass diese Reise voller

Gefahren sein würde.

Die beiden Freunde bereiteten sich gründlich vor, sammelten Vorräte und Ausrüstung und machten sich auf den Weg. Sie waren fasziniert von der Schönheit der Tunnel und dem, was sie auf ihrer Reise entdeckten. Sie trafen auf seltsame Kreaturen und erlebten unerwartete Abenteuer.

Während sie durch die Tunnel navigierten, gerieten Laura und Mathilda in eine Falle. Sie wurden von einer Gruppe hinterhältiger Ratten umzingelt und gefangen genommen. Laura und Mathilda waren in großer Gefahr und es schien, als ob es kein Entkommen gab.

Aber Laura gab nicht auf. Sie erinnerte sich an Mathildas Lektionen und ihre Entschlossenheit gab ihr die Kraft, nicht aufzugeben. Am Ende konnten schließlich entkommen, indem sie ihre Fähigkeiten und Kreativität einsetzten. Sie nutzten ihr Wissen, um die Ratten zu besiegen und aus der Falle zu entkommen.

Laura und Mathilda wurden zu Helden unter den Tunnelbewohnern und ihre Freundschaft wurde noch stärker. Sie hatten viele weitere Abenteuer und ihre Freundschaft wuchs mit jedem neuen Erlebnis.

Schließlich erreichten sie das Ende des Tunnelnetzwerks und standen vor einer geheimnisvollen Tür. Sie öffneten die Tür und traten in eine andere Welt ein. Es war eine Welt voller Wunder und Abenteuer, eine Welt, die sie niemals vergessen würden.

Die beiden Freunde sahen sich an und lächelten, wissend, dass sie zusammen alles erreichen konnten. Sie wussten, dass ihre Freundschaft für immer bestehen würde, und dass sie gemeinsam jede Herausforderung meistern könnten. Und so endet die Geschichte von Laura und Mathilda, die unzertrennlichen Freunde, die gemeinsam die Geheimnisse der Tunnel von Berlin entdeckten.

TESTE DICH SELBST

1. Mit wem hat Laura sich angefreundet und was hat ihr die Maus gezeigt?

2. Was haben Laura und Mathilda auf ihrer Reise durch die Tunnel erlebt?

3. Wie haben Laura und Mathilda es geschafft, der Falle der Ratten zu entkommen?

DISKUSSION -- SCHREIBEN ODER SPRECHEN

1. Hast du jemals eine ungewöhnliche Freundschaft wie die von Laura und Mathilda erlebt?

2. Würdest du gerne die geheimen Tunnel von Berlin entdecken, nachdem du diese Geschichte gelesen hast?

3. Welche anderen Abenteuer denkst du, könnten Laura und Mathilda in der geheimnisvollen Welt, die sie am Ende der Geschichte entdeckt haben, erleben?

ANTWORTEN

1. Laura hat sich mit einer Maus namens Mathilda angefreundet. Mathilda hat Laura die geheimen, unterirdischen Tunnel in Berlin gezeigt.

2. Laura und Mathilda haben auf ihrer Reise durch die Tunnel seltsame Kreaturen getroffen und unerwartete Abenteuer erlebt. Sie wurden von einer Gruppe von Ratten gefangen genommen, konnten aber entkommen.

3. Laura und Mathilda haben ihre Fähigkeiten und Kreativität genutzt, um die Ratten zu besiegen und aus der Falle zu entkommen.

NELLY LERNT IHRE LEKTION

Nelly war eine große, flauschige dreifarbige Katze, mit einem Streifen auf ihrem Rücken. Sie lebte mit ihren liebevollen Besitzern, einem jungen Paar namens Jörg und Antje, auf einem kleinen Bauernhof auf dem Land in der Nähe von Frankfurt. Nelly liebte es, die Felder und Wälder rund um ihr Grundstück zu erkunden, Vögel und Kaninchen zu jagen und sich in der warmen Sonne zu sonnen.

Eines frühen Morgens wurden Nellys Besitzer von dem Geräusch panischer Hühner aus ihrem Hühnerstall geweckt. Sie eilten nach draußen, um Nelly stolz spazieren zu sehen, mit einem aufgedunsenen und zufriedenen Ausdruck im Gesicht.

"Oh nein, Nelly!", rief Antje, die sich schockiert den Mund bedeckte. "Du hast eines unserer Hühner getötet!"

Jörg war wütend. "Ich kann es nicht glauben! Wie konntest du das nur tun, Nelly?"

Nelly schaute sie nur mit einem ruhigen, fast überheblichen Ausdruck an, als würde sie sagen: "Was soll ich sagen? Ich bin eine Katze. Es liegt in meiner Natur."

Jörg und Antje konnten Nelly trotz ihrer Wut nicht lange böse sein. Sie war einfach zu süß, mit ihrem flauschigen Fell und den großen, leuchtenden Augen. Sie beschlossen, mit ihr ein ernstes Gespräch zu führen und sie mit einer Warnung davonkommen zu lassen.

Am nächsten Morgen wachte Nelly ausgeruht und erfrischt auf. Sie streckte sich, gähnte und bereitete sich auf den Tag vor. Aber als sie versuchte, ihr übliches morgendliches Miauen auszustoßen, passierte etwas Seltsames. Anstatt eines lauten, katzenartigen Miaus kam nur ein erbärmliches Hühnchen-Geräusch heraus.

"Bock! Bock! Bock!" schrie Nelly und versuchte, die Aufmerksamkeit ihrer Besitzer auf sich zu lenken. Aber sie schauten sie nur verwirrt an und verstanden nicht, was sie sagen wollte.

Nelly war entsetzt. Sie hatte sich immer auf ihr schönes Miauen verlassen, und jetzt war es weg! Sie versuchte immer wieder, ein normales Katzen-Geräusch zu machen, aber es kam nur mehr Gackern heraus.

Jörg und Antje konnten nicht aufhören zu lachen, als sie ihre arme Katze Hühnchen-Geräusche machen sahen. Sie versuchten, mit ihr zu sprechen, aber alles, was Nelly tun konnte, war, mit den Beinen zu schlagen und zu gackern.

Im Laufe der Tage wurde Nelly immer frustrierter über ihre Unfähigkeit zu kommunizieren. Sie war es gewohnt, das Haushalts-Oberhaupt zu sein, aber jetzt konnte sie ihren Besitzern nicht einmal sagen, wann sie Essen oder Aufmerksamkeit wollte. Sie begann sich wie eine komplette Ausgestoßene zu fühlen.

Eines Tages beschlossen Jörg und Antje, Nelly zum Tierarzt zu bringen, um zu sehen, ob man etwas gegen ihre seltsamen, hühnerähnlichen Geräusche tun könnte. Der Tierarzt untersuchte Nelly gründlich, konnte aber keinen physischen Grund für ihr seltsames Verhalten finden.

"Ich denke, es ist nur eine Phase, durch die sie geht", sagte der Tierarzt und streichelte Nelly den Kopf. "Manche Katzen durchlaufen seltsame Phasen, genau wie Menschen. Gebt ihr einfach etwas Zeit, und ich bin sicher, dass sie bald wieder normal sein wird."

Aber Nelly war sich nicht so sicher. Sie fing an zu glauben, dass sie nie wieder wie eine normale Katze miauen würde. Sie wurde immer deprimierter und hörte sogar auf, ihre

Lieblingssnacks zu essen.

Schließlich hatte Nelly genug. Sie beschloss, selbst eine Lösung für ihr Problem zu finden. Entschlossen machte sie sich auf den Weg, um jedes Tier zu fragen, das sie traf, ob es wüsste, wie man ihr Miauen reparieren könnte. Sie wanderte durch die Felder und Wälder und fragte die Vögel, die Kaninchen und sogar die Eichhörnchen, aber keines hatte einen hilfreichen Rat. Nelly verlor langsam die Hoffnung, als sie auf eine kluge alte Eule traf, die auf einem Baum saß.

"Was ist das Problem, mein Liebes?", fragte die Eule und neigte den Kopf zur Seite.

Nelly erzählte der Eule von ihrem Dilemma, und die weise alte Vogel hörte geduldig zu. Nach einem Moment des Nachdenkens sprach die Eule.

"Ich glaube, ich habe eine Lösung für dich, Nelly", sagte sie. "Aber es wird ein wenig Mut und Entschlossenheit von deiner Seite erfordern."

Nelly horchte auf. "Alles, ich werde es tun!", rief sie aus.

"Gut", sagte die Eule. "Du musst zum Gipfel des höchsten Berges im Land reisen. Dort wirst du eine magische Quelle finden, die von einem mächtigen Drachen bewacht wird. Trinke von der Quelle, und dein Miauen wird wiederkommen"

Nellys Augen weiteten sich. "Ein Drache? Bist du sicher?"

Die Eule nickte. "Es gibt keinen anderen Weg. Bist du bereit, Nelly?"

Nelly atmete tief durch und nickte. "Ich bin

bereit. Danke, weise Eule. Ich werde alles tun, um mein Miauen zurückzubekommen."

Und damit machte sich Nelly auf den Weg zum Gipfel des Berges. Es war eine lange und schwierige Reise, voller Herausforderungen und Hindernisse, aber Nelly war entschlossen. Sie kletterte über felsige Klippen, ging durch eisige Bäche und trotzte den Elementen, um ihr Ziel zu erreichen.

Schließlich, nachdem es wie eine Ewigkeit erschienen war, erreichte Nelly den Gipfel des Berges. Sie sah die magische Quelle, die im Sonnenlicht funkelte, und den gruseligen Drachen, der sie bewachte.

Nelly näherte sich dem Drachen vorsichtig, ihr Herz schlug schnell. Aber zu ihrer Überraschung griff der Drache nicht an. Er sah Nelly mit freundlichen, verständnisvollen Augen an und sprach mit sanfter Stimme.

"Du hast einen weiten Weg zurückgelegt, Nelly", sagte er. "Du bist eine mutige und entschlossene Katze. Trinke aus der Quelle und dein Miauen wird wiederhergestellt."

Nelly brauchte das nicht zweimal hören. Sie rannte zur Quelle und trank aus dem kühlen, klaren Wasser. Während sie das tat, fühlte sie eine seltsame Empfindung über sie kommen. Ihr Miauen kehrte zurück, stärker und schöner als je zuvor.

Nelly gab einen freudigen Schrei von sich, und der Drache lächelte. "Ich bin froh, dass ich helfen konnte", sagte er. "Jetzt geh, Nelly, und nutze dein Miauen für Gutes."

Nelly bedankte sich bei dem Drachen und machte sich auf den Rückweg den Berg hinunter, ihr Herz voller Freude und ihre Stimme stark und klar. Als sie nach Hause zurückkehrte, waren Jörg und Antje überglücklich, sie wieder in ihrem normalen Zustand zu sehen.

"Wir haben uns so um dich gesorgt, Nelly!", rief Antje und umarmte sie herzlich.

"Wir haben dein schönes Miauen vermisst", fügte Jörg hinzu und kratzte sie hinter den Ohren.

Nelly schnurrte zufrieden und war glücklich, wieder zu Hause zu sein und dankbar für ihr wiederhergestelltes Miauen. Und während sie auf dem Fensterbrett saß und sich in der warmen Sonne aalte, machte sie sich ein Versprechen: Sie würde nie wieder ein Huhn essen und immer die Tierwelt um sie herum respektieren und schützen.

An diesem Tag führte Nelly ein glückliches und friedliches Leben, erkundete die Felder und Wälder mit einem neuen Verständnis für alle Kreaturen, die dort ihr Zuhause hatten - insbesondere Hühner. Und obwohl sie manchmal immer noch ein wenig albern war, wusste sie, dass ihre Handlungen Konsequenzen hatten, und sie versuchte immer, das Richtige zu tun.

TESTE DICH SELBST

1. Wie hat sich Nelly gefühlt, als sie ihr Miauen verloren hat? Warum?

2. Warum haben Jörg und Antje beschlossen, Nelly zum Tierarzt zu bringen? Was hat der Tierarzt gesagt?

3. Was hat Nelly dazu gebracht, zum Gipfel des höchsten Berges zu reisen? Wer hat ihr geholfen, ihr Miauen zurückzubekommen?

DISKUSSION -- SCHREIBEN ODER SPRECHEN

1. Hast du schon einmal ein Haustier gehabt? Welche Art von Haustier war es? Hat es jemals etwas getan, das dich überrascht hat, so wie Nelly, die ein Huhn getötet hat?

2. Was denkst du über die Entscheidung von Jörg und Antje, Nelly trotz ihres Verhaltens nicht länger böse zu sein? Würdest du genauso handeln oder hättest du anders reagiert?

3. Wie hat sich Nelly verändert, nachdem sie ihr Miauen verloren und wiedergewonnen hatte? Hat sie sich anders verhalten, als sie realisierte, dass ihre Handlungen Konsequenzen haben können?

ANTWORTEN

1. Als Nelly ihr Miauen verlor, fühlte sie sich frustriert, traurig und deprimiert. Sie konnte nicht mehr mit ihren Besitzern kommunizieren und fühlte sich ausgestoßen.

2. Jörg und Antje haben beschlossen, Nelly zum Tierarzt zu bringen, um herauszufinden, ob etwas gegen ihre seltsamen, hühnerähnlichen Geräusche getan werden konnte. Der Tierarzt untersuchte Nelly gründlich, konnte jedoch keinen physischen Grund für ihr seltsames Verhalten finden. Der Tierarzt sagte, dass es nur eine Phase sei, durch die sie gehe, und dass sie bald wieder normal sein würde.

3. Nelly beschloss, zum Gipfel des höchsten Berges zu reisen, um eine magische Quelle zu finden, die von einem mächtigen Drachen bewacht wurde, um ihr Miauen zurückzubekommen. Die kluge alte Eule hatte ihr gesagt, dass dies der einzige Weg sei, um ihr Miauen wiederherzustellen. Der freundliche Drache half Nelly, die magische Quelle zu finden, und Nelly trank das Wasser und ihr Miauen wurde wiederhergestellt.

HUGO UND SEIN LUXUSLEBEN

ugo war eine schmutzige, braune Katze, die auf den belebten Straßen von München aufgewachsen war. Er hatte kein Zuhause und musste sich selbst versorgen. Er war immer auf der Suche nach etwas zu essen und hatte nie genug zu essen.

Eines Tages sah Hugo ein riesiges Herrenhaus mit großen, schönen Fenstern und einem prächtigen Eingang. Er hatte noch nie etwas Ähnliches gesehen. Er beobachtete es aus der Ferne und erkannte bald, dass die Besitzer des Herrenhauses selten zu Hause waren.

An einem Tag, als er wirklich hungrig

war, beschloss Hugo durch ein offenes Fenster einzuschleichen. Er war erstaunt über die luxuriöse Innenausstattung des Herrenhauses und konnte seinen Augen nicht trauen. Er ging direkt zur Küche und fand den Kühlschrank voller feiner Lebensmittel wie Kaviar, geräuchertem Lachs und Steak.

Hugo war im Himmel und kehrte jedes Mal zurück, wenn die Besitzer nicht da waren. Er aß sich satt und verließ das Haus, bevor sie zurückkehrten.

Eines Tages wurde Hugo jedoch von den Besitzern erwischt. Sie waren überrascht, eine schmutzige Katze in ihrer Küche zu sehen, die ihr teures Essen aß. Zuerst waren sie wütend, aber dann passierte etwas Erstaunliches. Die Besitzer, die Tierliebhaber waren, waren von Hugos schmutzigem Aussehen und seines Einfallsreichtums beeindruckt. Sie beschlossen, ihn als ihr eigenes Haustier aufzunehmen.

Hugo war überglücklich. Er hatte noch nie ein Zuhause und konnte sein Glück kaum fassen. Er war endlich sicher und geliebt. Um Nahrung oder einen Schlafplatz musste er sich nicht mehr sorgen.

Die Besitzer überschütteten Hugo mit Liebe und Aufmerksamkeit, und er wurde bald zum König des Herrenhauses. Er hatte sein eigenes gemütliches Bett, eine große Auswahl an Spielzeugen zum Spielen und genug leckeres Essen.

Hugo verbrachte seine Tage damit, das Herrenhaus zu erkunden und in der Sonne zu liegen. Er kuschelte sich oft auf den Schoß der Besitzer und schnurrte zufrieden. Das Leben war perfekt und Hugo war die glücklichste Katze der Welt.

Im Laufe der Zeit gewöhnte sich Hugo immer mehr an seine Besitzer. Er folgte ihnen im Herrenhaus und miaute nach Aufmerksamkeit. Er kuschelte sich oft nachts mit ihnen ins Bett und schnurrte leise.

Eines Tages beschlossen die Besitzer, Hugo mit auf eine Reise zu nehmen. Sie packten ihre Taschen und nahmen ihn mit auf eine Reise in den Spreewald. Hugo ist noch nie auf Reisen gewesen und war aufgeregt, die neue Umgebung zu erkunden.

Als sie am Ziel ankamen, war Hugo von der schönen Landschaft begeistert. Er liebte die frische Luft, die Sonne und die Freiheit, herumzulaufen. Er verbrachte seine Tage damit, Schmetterlingen hinterherzujagen und in der Sonne zu liegen.

Eines Tages, als Hugo die Landschaft erkundete, stieß er auf eine Gruppe von Katzen. Sie waren alle verschieden in Farbe und Größe und spielten zusammen. Zunächst war Hugo unsicher, aber dann beschloss er, sich ihnen zu nähern. Zu seiner Überraschung begrüßten sie ihn mit offenen Pfoten.

Hugo war überglücklich, neue Freunde

gefunden zu haben. Er verbrachte den Rest des Ausflugs damit, mit den anderen Katzen zu spielen. Er hatte sich noch nie so glücklich und zufrieden gefühlt.

Als sie zum Anwesen zurückkehrten, war Hugo eine veränderte Katze. Er war offener, selbstbewusster und liebevoller als je zuvor. Er folgte seinen Besitzern nicht mehr nur, sondern wanderte oft draußen herum, um mit anderen Katzen in Kontakt zu treten.

Die Besitzer waren so stolz auf Hugo und alles, was er überwunden hatte. Sie wussten, dass sie eine sehr soziale Katze hatten und liebten ihn mehr als je zuvor. Sie fuhren fort, ihn auf Reisen mitzunehmen, um mit anderen Katzen in Kontakt zu kommen.

Im Laufe der Jahre machte Hugo in Paris, London, New York und darüber hinaus feline

Freunde. Einige von ihnen besuchten ihn
sogar.

Trotz seines schwierigen Starts ins Leben
blieb Hugo die glücklichste Katze der Welt.

TESTE DICH SELBST

1. Wo hat Hugo neue Freunde gefunden?

2. Was hat sich an Hugos Verhalten geändert, als er von seinem Ausflug zurückkehrte?

3. Auf welche Reisen wurde Hugo von seinen Besitzern mitgenommen, um andere Katzen zu treffen?

DISKUSSION -- SCHREIBEN ODER SPRECHEN

1. Hast du schon mal eine Straßenkatze adoptiert oder gerettet?

2. Hast du jemals einen Urlaub gemacht, der dein Leben auf eine positive Weise verändert hat?

3. Gibt es ein bestimmtes Tier, das du besonders gerne magst oder mit dem du eine besondere Beziehung hast?

ANTWORTEN

1. Hugo hat auf dem Land in Spreewald eine
   Gruppe von Katzen getroffen und neue Freunde
   gefunden.

2. Hugo wurde nach dem Ausflug selbstbewusster,
   offener und liebevoller. Er ging nicht mehr nur
   seinen Besitzern nach, sondern wanderte oft, um
   mit anderen Katzen zu interagieren.

3. Die Besitzer von Hugo haben ihn auf Reisen nach
   Paris, London, New York und anderen Orten
   mitgenommen, um ihn mit anderen Katzen in
   Kontakt zu bringen.

DAS VERFLUCHTE HAUS

E s war einmal eine Gruppe von Katzen, die in einem kleinen Dorf lebten. Sie waren die besten Freunde und machten alles gemeinsam. Sie jagten zusammen Mäuse, sonnten sich auf Dachböden und erkundeten die Umgebung. Eines Tages hörten sie Gerüchte über ein verlassenes Haus am Rande des Dorfes, das angeblich von einem Geist heimgesucht wurde.

Die Katzen waren neugierig und beschlossen, das Haus zu besuchen. Sie hielten zusammen und gingen langsam den staubigen Weg zum Haus hinauf. Als sie das Haus erreichten, sahen sie, dass es alt und verfallen war. Es gab Löcher im Dach und das Holz war morsch.

Als sie das Haus betraten, sahen sie einen leuchtenden Geist, der vor ihnen schwebte. Die Katzen waren verängstigt, aber der Geist lächelte und sagte: "Keine Sorge, ich bin ein freundlicher Geist. Ich war einst der Besitzer dieses Hauses und ich möchte euch Geschichten erzählen."

Die Katzen setzten sich um den Geist herum und hörten gespannt zu, wie er von vergangenen Tagen erzählte. Der Geist erzählte von den alten Möbeln und Bildern an den Wänden. Er zeigte ihnen auch, wie sie unsichtbar werden konnten. Die Katzen waren begeistert und beschlossen, es auszuprobieren. Der Geist erklärte, dass sie nur unsichtbar werden konnten, wenn sie sich vollständig auf den Gedanken konzentrierten, unsichtbar zu sein.

Als die Katzen durch das Haus gingen, hörten sie plötzlich seltsame Geräusche. Es waren Schritte und das Rascheln von Kleidern. Die Katzen sahen sich um, aber niemand war zu sehen. Plötzlich tauchte ein riesiger Dämon auf und begann, sie zu jagen. Die Katzen rannten in alle Richtungen, aber der Dämon war schneller.

Die Katzen waren in großer Gefahr und

wussten nicht, was sie tun sollten. Doch dann erinnerten sie sich an den Trick, den der freundliche Geist ihnen beigebracht hatte. Sie wurden unsichtbar und konnten sich so vor dem Dämon verstecken. Der Dämon suchte und suchte, konnte sie aber nicht finden.

Die Katzen nutzten ihre neue Fähigkeit, um den Dämon zu beobachten. Sie hörten ihm zu, als er mit sich selbst sprach. Der Dämon war verwirrt und frustriert, weil er die Katzen nicht finden konnte. Er beschloss, das Haus zu verlassen und später zurückzukehren.

Nachdem der Dämon verschwunden war, kehrten die Katzen zum Geist zurück. Der Geist erzählte ihnen von einem magischen Amulett, das den Dämon besiegen würde. Es war in einem nahe gelegenen Schloss versteckt, das von einem bösartigen Zauberer bewacht wurde. Der Zauberer hatte viele Schätze und Reichtümer in seinem

Schloss versteckt, aber das Amulett war das wertvollste von allen.

Die Katzen beschlossen, das Amulett zu finden und den Dämon endgültig zu vertreiben. Sie gingen zum Schloss und nutzten ihre Fähigkeit unsichtbar zu werden, um sich an den Wachen vorbeizuschleichen. Sie kämpften sich durch die Labyrinthe und Fallen des Schlosses, um das Amulett zu finden.

Als sie das Amulett hatten, kehrten sie zum Geist zurück und benutzten es, um den Dämon zu besiegen. Das Amulett strahlte ein helles Licht aus und der Dämon wurde von einer unsichtbaren Kraft aus dem Haus gedrängt. Der Dämon war besiegt und die Katzen kehrten sicher in ihr Dorf zurück.

Die Katzen wurden als Helden gefeiert und hatten viele Abenteuer zu erzählen. Sie lernten, dass Freundschaft und Zusammenhalt ihnen halfen, selbst die schwierigsten Herausforderungen zu meistern. Und sie waren dankbar für den freundlichen Geist, der ihnen geholfen hatte, den Dämon zu besiegen. Von diesem Tag an hatten sie immer eine besondere Verbindung zu dem verlassenen Haus und dem freundlichen Geist.

Eines Tages kehrten die Katzen zum verlassenen Haus zurück, um dem Geist für seine Hilfe zu danken. Doch als sie ankamen, fanden sie das Haus leer vor. Der Geist war verschwunden.

Die Katzen suchten das Haus gründlich ab und fanden ein altes Buch, das auf einem Tisch lag. Es war das Tagebuch des Geistes, das er während seines Lebens geschrieben hatte. Die Katzen blätterten durch die Seiten und fanden etwas Unglaubliches heraus: Der

Geist war kein freundlicher Geist, sondern ein böser Geist, der das Haus heimgesucht hatte, um andere zu verängstigen.

Die Katzen waren schockiert und verängstigt. Sie beschlossen, das Buch zu verstecken, damit niemand jemals wieder von dem bösen Geist erfahren würde. Von diesem Tag an mieden sie das verlassene Haus und gingen nie wieder dorthin.

TESTE DICH SELBST

1. Was haben die Katzen im verlassenen Haus gefunden?

2. Was war das Ziel der Katzen, als sie zum Schloss des Zauberers gingen?

3. Was haben die Katzen am Ende des Buches herausgefunden?

DISKUSSION -- SCHREIBEN ODER SPRECHEN

1. Was denkst du, wie die Geschichte ausgegangen wäre, wenn die Katzen das Tagebuch des Geistes nicht gefunden hätten?

2. Wenn du unsichtbar werden könntest, wie würdest du diese Fähigkeit nutzen?

3. Was denkst du, welche andere Überraschungen oder Abenteuer die Katzen auf ihrem Weg erlebt haben könnten, wenn sie das verlassene Haus noch einmal besucht hätten?

ANTWORTEN

1. Die Katzen haben im verlassenen Haus einen freundlichen Geist getroffen, der ihnen Geschichten erzählte und gezeigt hat, wie man unsichtbar wird.

2. Das Ziel der Katzen war es, das magische Amulett im Schloss des Zauberers zu finden, um den Dämon zu besiegen.

3. Am Ende des Buches haben die Katzen im Tagebuch des Geistes herausgefunden, dass der freundliche Geist, den sie getroffen haben, in Wirklichkeit ein böser Geist war, der das Haus heimgesucht hat, um andere zu verängstigen.

ORKANS DEUTSCHLERNREISE

In einem kleinen Dorf in der Türkei lebte einmal eine Katze namens Orkan. Eines Tages beschloss Orkan, dass es an der Zeit war, die Welt außerhalb ihres Dorfes zu erkunden und neue Abenteuer zu erleben. Orkan war sehr abenteuerlustig und neugierig und wollte unbedingt neue Orte und Menschen kennenlernen.

Eines Tages hörte Orkan von einem Freund, der nach Deutschland gereist war und davon erzählte, wie aufregend es dort war. Orkan beschloss, Deutschland zu besuchen und machte sich auf den Weg in die Stadt Leipzig. Leipzig war ein Ort voller neuer Gerüche, Geräusche und Sehenswürdigkeiten, aber

das Wichtigste war, dass die Menschen dort eine andere Sprache sprachen.

Orkan hatte schon immer gerne Sprachen gelernt und wollte unbedingt Deutsch lernen, um sich besser in der neuen Umgebung zurechtzufinden. Also schrieb er sich in eine

Sprachschule ein und begann, die deutsche Sprache zu lernen.

Aber Orkan fand es schwierig, die Worte richtig auszusprechen und die Grammatik richtig zu verwenden. Er übte jeden Tag, aber es schien nicht besser zu werden. Orkan war frustriert, aber er gab nicht auf.

Eines Tages traf er eine Eule namens Elsa, die ihm half, seine Aussprache zu verbessern. Elsa war eine Expertin für die deutsche Sprache und sie gab Orkan wertvolle Tipps und Tricks, um seine Aussprache zu verbessern.

Orkan übte weiter und machte sich auf die Suche nach neuen Möglichkeiten, um die deutsche Sprache zu lernen. Eines Tages traf er eine Gruppe von Kindern, die draußen spielten. Orkan schloss sich ihnen an und sie spielten gemeinsam Fußball. Orkan hatte viel

Spaß und lernte dabei auch neue Wörter auf Deutsch.

Das Beste war, dass Orkan auch viele neue Freunde machte. Er traf andere Tiere und Menschen, die ihm halfen, seine Sprachkenntnisse zu verbessern. Er traf auch eine andere Katze namens Fritz, die aus Berlin kam und auch Deutsch lernte. Fritz und Orkan verbrachten viel Zeit zusammen und übten die deutsche Sprache. Sie machten es zu einem Spiel und versuchten, die schwierigsten Wörter auszusprechen.

Eines Tages beschlossen Orkan und Fritz, zusammen in einen Zoo zu gehen. Sie sahen viele Tiere und Orkan lernte dabei auch neue Wörter auf Deutsch. Aber dann geschah etwas Unerwartetes. Ein kleiner Affe entkam seinem Gehege und rannte davon. Orkan und Fritz beschlossen, ihn zu jagen und zurückzubringen. Sie rannten durch den Zoo und versuchten, den Affen zu fangen.

Es war ein großes Abenteuer, und am Ende gelang es ihnen, den Affen zurückzubringen. Alle im Zoo waren so dankbar, dass Orkan und Fritz zu Ehrengästen erklärt wurden. Orkan war sehr glücklich und stolz darauf, dass er und Fritz dazu beigetragen hatten, den Affen zurückzubringen. Aber was er nicht erwartet hatte, war, dass er dadurch auch seine Deutschkenntnisse verbessert hatte.

Während des Abenteuers hatte Orkan viele Wörter auf Deutsch gehört, die er zuvor noch nicht kannte. Er hatte gelernt, wie man um Hilfe bittet und wie man sich in einer unvorhergesehenen Situation verhält. Orkan war erstaunt darüber, wie viel er auf seine eigene Weise gelernt hatte.

Nach diesem Abenteuer beschloss Orkan, dass er immer auf der Suche nach neuen

Möglichkeiten sein würde, um seine Sprachkenntnisse zu verbessern. Er hatte gelernt, dass das Lernen nicht immer einfach war, aber dass es sich lohnte, hart daran zu arbeiten.

Mit der Zeit wurde Orkan immer besser darin, Deutsch zu sprechen und sich in der neuen Umgebung zurechtzufinden. Er fand neue Freunde und hatte viele lustige Abenteuer, aber das Wichtigste war, dass er seine Ziele erreicht hatte und stolz auf sich selbst war.

Eines Tages beschloss Orkan, dass es an der Zeit war, in die Türkei zurückzukehren. Er wollte seine Familie und Freunde wiedersehen und ihnen von seinen Abenteuern erzählen. Bevor er ging, lud er all seine Freunde ein, um mit ihm ein besonderes Abschiedsfest zu feiern.

Orkan hatte eine Idee, wie er allen zeigen konnte, wie sehr er die deutsche Sprache gelernt hatte. Er schrieb ein Lied auf Deutsch und sang es vor allen seinen Freunden. Sie waren erstaunt und beeindruckt und applaudierten ihm laut.

Orkan hatte es geschafft! Er hatte nicht nur eine neue Sprache gelernt, sondern auch viele Freunde gefunden und viele Abenteuer erlebt. Er wusste, dass er immer stolz darauf sein würde, dass er sich die Zeit und Mühe gemacht hatte, Deutsch zu lernen und sich anzupassen.

TESTE DICH SELBST

1. Wie hat Orkan seine Deutschkenntnisse verbessert?

2. Was hat Orkan beschlossen, nachdem er das Affen-Abenteuer erlebt hatte?

3. Was hat Orkan getan, um seinen Freunden zu zeigen, dass er Deutsch gelernt hatte?

DISKUSSION -- SCHREIBEN ODER SPRECHEN

1. Hast du jemals versucht, eine neue Sprache als Deutsch zu lernen? Was hat dir dabei geholfen, es erfolgreich zu meistern?

2. Welches war dein Lieblings-Abenteuer in einer fremden Stadt oder einem fremden Land? Wie hast du dich zurechtgefunden, wenn du dich in einer unvorhergesehenen Situation befunden hast?

3. Kennst du jemanden, der aus einem anderen Land kommt und die Sprache deines Landes gelernt hat? Wie hat er oder sie es geschafft, sich anzupassen und wie war seine oder ihre Erfahrung?

ANTWORTEN

1. Orkan hat seine Deutschkenntnisse verbessert, indem er viele Wörter auf Deutsch während des Affen-Abenteuers gehört hat und auch immer nach neuen Möglichkeiten suchte, um seine Sprachkenntnisse zu verbessern.

2. Nachdem er das Affen-Abenteuer erlebt hatte, beschloss Orkan, dass er immer auf der Suche nach neuen Möglichkeiten sein würde, um seine Sprachkenntnisse zu verbessern.

3. Orkan schrieb ein Lied auf Deutsch und sang es vor allen seinen Freunden, um zu zeigen, wie sehr er die deutsche Sprache gelernt hatte.

CLEO DIE DIVA

Cleo war eine Sphinxkatze, die wegen ihrer Haarlosigkeit und ihrem Vorliebe für Dirndlkleidung schon immer ein wenig anders als die anderen Katzen in ihrer Nachbarschaft war. Aber das störte sie nicht weiter, denn sie liebte ihre Sammlung von wunderschönen, farbenfrohen Dirndls und trug sie bei jeder Gelegenheit.

Bald begannen die Menschen in der Nachbarschaft, auf Cleo aufmerksam zu werden. Sie bewunderten ihre einzigartige Schönheit und ihre Liebe zur Tracht. Eines Tages fragte ein lokaler Fernsehsender Cleo, ob sie in einer Show auftreten würde. Cleo war aufgeregt und willigte ein.

Die Show war ein großer Erfolg und Cleo

wurde schnell zu einer Berühmtheit. Bald reiste sie durch Deutschland und trat in verschiedenen Fernsehshows auf. Sie wurde von Paparazzi verfolgt und hatte Fans, die sie um Autogramme und Fotos baten.

Cleo liebte den Ruhm, aber sie begann auch, sich anders zu verhalten. Sie wurde arrogant und hochnäsig und ignorierte ihre Familie und Freunde. Sie dachte, dass sie es nicht mehr nötig hatte, auf die Menschen in ihrer Nachbarschaft Rücksicht zu nehmen.

Doch als sie eines Tages allein in ihrem Hotelzimmer war, begann Cleo über ihr Leben nachzudenken. Sie erkannte, dass sie ihre Familie und Freunde vermisste und dass sie sich schlecht fühlte, weil sie sie vernachlässigt hatte. Sie wusste, dass sie etwas ändern musste, bevor es zu spät war.

Cleo beschloss, ihre Diva-Weise abzulegen und ihre Familie und Freunde zu kontaktieren. Sie rief sie an und bat um Entschuldigung. Aber sie war sich nicht sicher, ob sie ihr jemals verzeihen würden.

Um ihre Entschuldigung zu zeigen und zu beweisen, dass sie sich geändert hatte, beschloss Cleo, in einem Katzenheim zu arbeiten. Sie wollte anderen Katzen helfen, die kein Zuhause hatten. Cleo hatte immer eine Leidenschaft für Tiere und wusste, dass dies der beste Weg war, um ihrer Familie und ihren Freunden zu zeigen, dass sie sich geändert hatte.

Cleo arbeitete hart im Katzenheim und spielte mit den Katzen. Sie half ihnen bei der Pflege und sorgte dafür, dass sie genug zu essen hatten. Sie war so glücklich, dass sie anderen helfen konnte und dass sie ihre Diva-Weise hinter sich lassen konnte.

Ihre Familie und Freunde waren erstaunt über Cleos Veränderung. Sie waren stolz auf sie und erkannten, dass sie sich wirklich geändert hatte. Sie verziehen ihr und begrüßten sie wieder in ihrer Familie.

Cleo lernte, dass es wichtiger war, ihre Familie und Freunde zu schätzen als ihre Berühmtheit. Sie trug immer noch ihre Dirndl, aber sie war bescheidener und freundlicher als zuvor. Sie hatte gelernt, dass der wahre Ruhm darin besteht, anderen zu helfen und glücklich zu machen.

In der Folgezeit entschied sich Cleo dazu, ein Tierheim für obdachlose Tiere zu gründen. Sie hatte das Gefühl, dass sie ihre Berühmtheit nutzen konnte, um Gutes zu tun und etwas Gutes für die Tiere zu bewirken. Sie arbeitete hart daran, das Tierheim zu gründen und sammelte Spenden, um den Tieren zu helfen.

Das Tierheim wurde schnell zu einem Erfolg und es dauerte nicht lange, bis die Menschen in der Nachbarschaft davon erfuhren. Cleo wurde wieder in die Schlagzeilen gebracht, aber dieses Mal war sie stolz darauf. Sie war stolz darauf, dass sie etwas Gutes getan hatte und dass sie anderen helfen konnte.

Cleo erkannte, dass ihr Ruhm genutzt werden konnte, Gutes zu bewirken und dass sie eine Verantwortung hatte, anderen zu helfen. Sie beschloss, ihren Berühmtheitsstatus zu verwenden, um noch mehr Gutes zu tun.

Cleo reiste durch ganz Deutschland und sprach über die Bedeutung von Tierwohl und Tierschutz. Sie setzte sich für die Rechte von Tieren ein und kämpfte gegen Tierquälerei. Sie hatte das Gefühl, dass es ihre Pflicht war, anderen zu helfen und die Welt zu einem besseren Ort zu machen.

Mit der Zeit wurde Cleo zu einer Symbolfigur für Tierschutz und Tierwohl. Sie wurde von vielen bewundert und geliebt und ihre Arbeit wurde von vielen respektiert.

Cleo war glücklich und erfüllt von ihrer Arbeit und sie wusste, dass sie ihre Diva-Weise hinter sich gelassen hatte. Sie hatte gelernt, dass der wahre Ruhm darin besteht, anderen zu helfen und Gutes zu tun. Sie war stolz darauf, dass sie ihren Berühmtheitsstatus nutzen konnte, um anderen zu helfen.

In den späteren Jahren ihres Lebens verbrachte Cleo viel Zeit damit, im Tierheim zu arbeiten und Tieren zu helfen. Sie wusste, dass sie ihr Leben dafür einsetzen wollte, andere zu unterstützen und Gutes zu bewirken. Und obwohl sie nicht mehr die Berühmtheit war, die sie einmal darstellte, wusste sie, dass sie etwas viel Wertvolleres hatte: die Liebe und Dankbarkeit der Tiere, die sie gerettet hatte.

TESTE DICH SELBST

1. Warum wurde die Sphinxkatze Cleo zur Berühmtheit?

2. Was hat Cleo getan, um ihre Familie dazu zu bringen, ihr zu vergeben?

3. Was hat Cleo später im Leben getan, um anderen zu helfen?

DISKUSSION -- SCHREIBEN ODER SPRECHEN

1. Hast du schon einmal von der Sphinxkatzenrasse gehört? Was denkst du über haarlose Katzen?

2. Was denkst du über den Ruhm? Ist es wichtig, berühmt zu sein, oder denkst du, dass es wichtiger ist, anderen zu helfen?

3. Hast du schon einmal Freunde oder Familie vermisst, weil du dich zu sehr auf deine Karriere oder andere Dinge konzentriert hast? Wie bist du damit umgegangen?

ANTWORTEN

1. Cleo wurde zur Berühmtheit aufgrund ihrer
   erstaunlichen Dirndlsammlung.

2. Cleo erkannte, dass sie ihre Diva-Weise ändern
   musste, und arbeitete hart in einem Tierheim.
   Danach gründete sie ein Tierheim und setzte sich
   für Tierschutz und Tierwohl ein.

3. Cleo nutzte ihren Berühmtheitsstatus, um
   für Tierschutz und Tierwohl zu kämpfen und
   gründete ein Tierheim, um Tieren zu helfen.
   Später verbrachte sie viel Zeit damit, im Tierheim
   zu arbeiten und anderen zu helfen.

LUNAS REISE ZUM MARS

Es war ein sonniger Tag in Deutschland und Luna, die Katze, saß auf ihrem Lieblingsplatz im Garten, als sie eine Zeitung auf dem Boden liegen sah. Sie sprang herunter und schnüffelte daran herum, als eine Anzeige ihre Aufmerksamkeit erregte. "Gesucht: Die erste Katze aus Deutschland, die zum Mars fliegt", stand dort geschrieben.

Luna konnte ihren Augen nicht trauen. Sie wollte schon immer etwas Außergewöhnliches erleben und das war ihre Chance. Daraufhin beschloss sie, sich auf die Stelle zu bewerben und bereitete sich intensiv darauf vor. Sie trainierte ihren Körper,

um in der Schwerelosigkeit zu überstehen und lernte alles über Pflanzenanbau, um ihre Überlebenschancen zu erhöhen.

Nach Monaten des Trainings erhielt Luna die Einladung, am Auswahlverfahren teilzunehmen. Die Konkurrenz war hart, Luna wusste, dass sie alles geben musste, um zu gewinnen. Sie zeigte ihre Fähigkeiten im

Navigationssystem und in der Anwendung von Technologien, aber es gab immer noch andere Katzen, die genauso gut waren wie sie.

Eines Tages erhielten die Teilnehmer eine unerwartete Aufgabe. Sie sollten unter extremen Bedingungen Katzenminze anbauen. Luna war zuversichtlich, dass sie das schaffen konnte, aber sie wusste auch, dass sie ihre Fähigkeiten unter Beweis stellen musste. Sie bereitete sich auf die Aufgabe vor und entwickelte einen speziellen Anbauplan, um auch unter schwierigen Bedingungen erfolgreich zu sein.

Als es Zeit für die Entscheidung war, hatten die Juroren Schwierigkeiten, sich zu einigen. Schließlich war es ein Kopf-an-Kopf-Rennen zwischen Luna und einer anderen Katze namens Max. Die Jury beschloss, dass die Katze, die in der Lage war, unter den extremsten Bedingungen Katzenminze anzubauen, gewinnen würde. Luna wusste, dass dies ihre Chance war, den Job zu bekommen.

Sie wurde in eine Rakete gesetzt und zum Mars geschickt. Die Reise war gefährlich und es gab viele Hindernisse zu überwinden. Luna musste ihre ganzen Fähigkeiten und ihr Wissen einsetzen, um die Mission zu überleben. Aber schließlich erreichte sie das Ziel und begann sofort damit, Katzenminze anzubauen.

Es war schwieriger als erwartet. Luna musste sich mit unerwarteten Bedingungen und unbekannten Pflanzenarten auseinandersetzen. Aber sie gab nicht auf und arbeitete hart daran, die perfekte Umgebung zu schaffen, um die Pflanzen erfolgreich anzubauen.

Nach einer langen Zeit hatte Luna endlich Erfolg. Sie konnte die perfekte Umgebung für die Katzenminze schaffen und schließlich die Pflanzen ernten. Mit der kostbaren Fracht kehrte sie zur Erde zurück.

Die Welt erwartete sie schon sehnsüchtig. Als Luna zurückkam, wurde sie wie ein Held empfangen. Sie hatte bewiesen, dass sie eine Kämpferin war und in der Lage war, unter den schwierigsten Bedingungen zu überleben.

Luna hatte das Unmögliche erreicht und gezeigt, dass auch Katzen eine wichtige Rolle in der Erforschung des Weltalls spielen können.

Die wissenschaftlichen Erkenntnisse, die Luna auf ihrer Reise gesammelt hatte, wurden auf der ganzen Welt gefeiert. Die Erkenntnisse, die aus dem Anbau von Pflanzen unter den

Bedingungen des Mars gewonnen wurden, waren von unschätzbarem Wert. Es wurde sogar ein Buch über Lunas Reise geschrieben, welches in viele Sprachen übersetzt wurde und sich wie ein Bestseller verkaufte.

Luna wurde zu einem Star und erhielt viele Auszeichnungen für ihre Leistung. Aber sie war bescheiden und erinnerte sich immer daran, dass sie ohne das harte Training und die Unterstützung ihres Teams niemals soweit gekommen wäre.

In den folgenden Jahren wurde Luna zum Maskottchen des deutschen Raumfahrtprogramms ernannt. Sie reiste um die Welt und inspirierte viele junge Katzen, ihre Träume zu verfolgen und das Unmögliche zu erreichen. Luna hatte bewiesen, dass jeder, der hart arbeitet und niemals aufgibt, seine Ziele erreichen kann.

Und so bekam Luna einen Platz in den Geschichtsbüchern. Als die erste Katze aus Deutschland, die zum Mars flog und als Pionierin in der Erforschung des Weltraums.

TESTE DICH SELBST

1. Wer war Luna und was hat sie getan?

2. Was waren einige der wissenschaftlichen Erkenntnisse, die Luna während ihrer Reise zum Mars gesammelt hat?

3. Wie hat Lunas Erfolg die Einstellung gegenüber Katzen im Raumfahrtprogramm verändert?

DISKUSSION -- SCHREIBEN ODER SPRECHEN

1. Hast du schon mal von einer Katze gehört, die ins Weltall geflogen ist?

2. Wenn du zum Mars fliegen könntest, welche Fähigkeit würdest du haben wollen, um auf der Reise nützlich zu sein?

3. Was denkst du, welche Auswirkungen könnte die Erforschung des Weltalls durch Tiere wie Katzen haben?

ANTWORTEN

1. Luna war eine Katze, die als erste deutsche Katze zum Mars flog. Sie hatte sich für den Job beworben und hatte aufgrund ihrer Fähigkeit, Katzenminze unter den schwierigsten Bedingungen anzubauen, den Job bekommen.

2. Während ihrer Reise zum Mars sammelte Luna wissenschaftliche Erkenntnisse über den Anbau von Pflanzen unter den Bedingungen des Mars. Diese Erkenntnisse waren von unschätzbarem Wert für die Erforschung des Weltraums.

3. Lunas Erfolg hatte gezeigt, dass auch Katzen eine wichtige Rolle in der Erforschung des Weltalls spielen können. Die Einstellung gegenüber Katzen im Raumfahrtprogramm wurde positiver und sie wurden als wichtige Mitglieder des Teams anerkannt. Luna wurde sogar zum Maskottchen des deutschen Raumfahrtprogramms ernannt und reiste um die Welt, um junge Katzen zu inspirieren.

SEBASTIANS SCHÖNER SCHNURRBART

E s war ein wunderschöner Morgen, als Sebastian aufwachte und sich streckte. Er machte seinen üblichen Rundgang durch das Haus und schnupperte an den Möbeln und Teppichen. Doch als er sich im Spiegel betrachtete, bemerkte er etwas Seltsames. Etwas, das er noch nie zuvor an sich gesehen hatte. Etwas, das ihn schockierte und begeisterte zugleich.

Es war ein riesiger Schnurrbart, der über Nacht auf seinem Gesicht gewachsen war.

Sebastian konnte nicht anders, als sich selbst zu bewundern.

"Wow", dachte er, "ich sehe wirklich klasse aus!"

Er streckte seinen Schnurrbart aus und bewunderte ihn von allen Seiten.

"Ich bin ein echter Frauenmagnet mit diesem Schnurrbart", sagte er zu sich selbst.

Sebastian beschloss, seinen neuen Look der Welt zu präsentieren. Er sprang aus dem Fenster und machte sich auf den Weg durch die Stadt. Die Menschen blieben stehen, um ihn zu bewundern, als er mit seinem Schnurrbart im Wind flanierte. Es dauerte nicht lange, bis Sebastian von Paparazzi verfolgt wurde und eine Agentur ihn unter Vertrag nahm. Er war jetzt ein Star!

In kürzester Zeit wurde Sebastian zum bekanntesten Kater der Welt. Er reiste in alle Ecken des Planeten und trat in Fernsehsendungen und Filmen auf. Er wurde von den wichtigsten Modezeitschriften der Welt fotografiert und sogar von berühmten

Künstlern porträtiert. Sein Schnurrbart wurde zu seinem Markenzeichen, und er lebte das Leben eines echten Prominenten.

Aber wie das Schicksal es so will, hatte Sebastian noch eine Menge zu lernen. Eines Tages, als er in einer teuren Boutique einkaufen war, traf er eine wunderschöne Katze namens Judith. Sie hatte goldene Augen und seidiges Fell und ein verführerisches Miauen, das Sebastian sofort verzauberte. Er wusste, dass er sie erobern musste.

Doch als er sie mit seinem riesigen Schnurrbart ansprach, lachte sie ihn aus.

"Ein Schnurrbart? Ernsthaft?", sagte sie und lachte.

Sebastian war verwirrt und verletzt. Hatte er nicht alles richtig gemacht? War er nicht der berühmteste Kater der Welt? War sein Schnurrbart nicht der Größte?

Sebastian war am Boden zerstört. Er konnte nicht glauben, dass Judith ihn ablehnte. Er begann zu zweifeln, ob sein Schnurrbart wirklich so toll war, wie er dachte. Daraufhin beschloss er, Judith zu beweisen, dass er mehr war als nur ein Schnurrbart. Sebastian verließ das Rampenlicht und machte sich auf den Weg, um seinen inneren Kater zu finden.

Sebastian verbrachte Monate in der Wildnis und lernte, wie man jagen und überleben konnte. Er lernte, wie man seine Sinne schärfte und sich auf seine Instinkte verließ. Und er erkannte, dass sein Schnurrbart nur ein Teil von ihm war und dass es viel wichtiger war, wer er in seinem Herzen war.

Als Sebastian schließlich zu Judith zurückkehrte, war er ein anderer Kater. Stolz auf seine neuen Fähigkeiten und seinen neuen Fokus war er nicht mehr der gleiche Kater, wie damals. Er war reifer, weiser und bereit, Judith erneut zu beeindrucken.

Als er sie traf, bemerkte er, dass sie ihn anders ansah. Sie schien seine Veränderung zu bemerken und zu schätzen. Sie lud ihn zu einem Date ein, was ihn überglücklich machte.

An diesem Abend trafen sie sich in einem romantischen Restaurant. Judith war in einem wunderschönen Kleid und Sebastian hatte seine Schnurrbart-Pracht durch einen gepflegten Bart ersetzt. Sie lachten und unterhielten sich stundenlang, und Sebastian merkte, dass er endlich gefunden hatte, wonach er gesucht hatte.

Am Ende des Abends wanderten sie durch die Stadt und Judith erzählte ihm, dass sie seinen neuen Bart attraktiv fand. Sebastian war überrascht, aber glücklich.

"Du magst meinen Bart?", fragte er vorsichtig. "Aber ich dachte, es war der Grund, warum du mich nicht mochtest."

Judith lachte. "Ach, Sebastian", sagte sie. "Es geht nicht um deinen Bart. Es geht darum, wer du bist. Du bist ein starker, intelligenter und liebenswürdiger Kater, und das ist es, was mich anzieht. Nicht dein Schnurrbart."

Sebastian war erleichtert. Er hatte so hart gearbeitet, um seinen Schnurrbart loszuwerden, und nun war es egal. Er hatte gelernt, dass es im Leben mehr gab als Aussehen und dass es die inneren Werte waren, das zählte.

Sie verabschiedeten sich voneinander und beschlossen, dass sie sich wiedersehen würden. Sebastian lief nach Hause, immer noch auf Wolke sieben. Er war glücklich, Judith getroffen zu haben, und er war glücklich, dass er endlich erkannt hatte, was wirklich wichtig war.

Am Ende der Geschichte hatte Sebastian den Schnurrbart, der ihm einst so viel Ruhm und Glück gebracht hatte, abgeschnitten. Aber das war okay, denn er hatte erkannt, dass es im Leben um viel mehr ging als um Äußerlichkeiten. Er hatte gelernt, dass es das Innere war, das zählte, und dass wahre Schönheit von innen kam. So lebte Sebastian, der Kater mit dem einst legendären Schnurrbart, nun glücklich und zufrieden, denn er wusste, dass er aufgrund seines wahren Wesens und seiner inneren Schönheit geliebt wurde.

TESTE DICH SELBST

1. Was passierte mit Sebastian, als er eines Tages aufwachte?

2. Warum entschied Sebastian, Judith zu beeindrucken, und das Rampenlicht zu verlassen?

3. Was lernte Sebastian über sich selbst, als er in der Wildnis war?

DISKUSSION -- SCHREIBEN ODER SPRECHEN

1. Glaubst du, dass äußerliche Merkmale wie ein Schnurrbart oder ein schönes Fell wirklich wichtig sind, um jemanden zu beeindrucken?

2. Was denkst du, ist das Wichtigste an einer Person - ihr Aussehen oder ihr Charakter?

3. Hast du schon einmal versucht, etwas an dir zu ändern, um jemanden zu beeindrucken? Wie hast du dich dabei gefühlt und was hast du daraus gelernt?

1. Als Sebastian eines Tages aufwachte, bemerkte er, dass er über Nacht einen riesigen Schnurrbart bekommen hatte.

2. Sebastian entschied, Judith zu beeindrucken, indem er das Rampenlicht verließ, weil Judith seinen Schnurrbart nicht mochte und er erkannte, dass es mehr im Leben gab als nur äußerliche Merkmale.

3. In der Wildnis lernte Sebastian, wie man jagen und überleben kann, wie man seine Sinne schärft und sich auf seine Instinkte verlässt. Er erkannte, dass sein Schnurrbart nur ein Teil von ihm war und dass es viel wichtiger war, wer er in seinem Herzen war.

VERLOREN AUF DEM OKTOBERFEST

Sammy war eine herrenlose Katze, die die Straßen der Stadt durchstreifte, immer auf der Suche nach Nahrung und einem sicheren Ort zum Übernachten. Eines Tages stolperte er über einen Fernseher, der eine Dokumentation über das Oktoberfest zeigte. Er war fasziniert von den bunten Bildern der Menschen in Trachten, die Bier tranken und ausgelassen feierten. Sammy hatte noch nie so etwas gesehen und er beschloss, dass er unbedingt dorthin gehen musste.

Er beschloss, seinen Charme einzusetzen, um das zu erreichen, was er wollte, und er

suchte sich eine Familie aus, die er für sich gewinnen konnte. Er streunte um ihr Haus herum, miaute laut und sprang auf ihren Schoß, bis sie ihn schließlich adoptierten.

Als er ihnen von seinem Traum erzählte, auf das Oktoberfest zu gehen, waren sie zuerst skeptisch, aber Sammy ließ nicht locker. Er bat, miaute und zeigte ihnen Bilder aus der Dokumentation, bis sie schließlich zustimmten, ihn mitzunehmen.

Sammy war überglücklich, dass er endlich die Gelegenheit hatte, seinen Traum zu verwirklichen. Er übte das Tragen von Lederhosen und traditionellen Trachtenkleidern, um sicherzustellen, dass er perfekt aussah, und er las Bücher über das Oktoberfest, um alles zu lernen, was er konnte.

Endlich war der Tag gekommen. Sammy und seine Familie fuhren nach München. Als sie auf dem Oktoberfest ankamen, waren sie von der Menge und dem Lärm überwältigt. Sammy war aufgeregt, die vielen Menschen in Trachten zu sehen und das Bier und die Würste zu probieren, von denen er in den Büchern gelesen hatte.

Aber bald merkte Sammy, dass die Dinge nicht so einfach waren, wie er sich das vorgestellt hatte. Die Menschenmassen machten ihm Angst und er hatte Schwierigkeiten, sich zurechtzufinden. Seine Familie verlor ihn in der Menge und er war auf sich allein gestellt.

Am Anfang genoss Sammy die Freiheit. Er aß viele traditionelle deutsche Gerichte, die er vorher noch nicht probiert hatte, und freundete sich mit vielen interessanten Persönlichkeiten an. Er fühlte sich mutig und unabhängig, aber nach einiger Zeit begann er, seine Familie zu vermissen. Besonders vermisste er ihre Wärme und ihren Schutz, und er wusste, dass er ohne sie aufgeschmissen war.

Sammy beschloss, seine Familie wiederzufinden. Er nutzte seinen Geruchssinn und seine räumliche Vorstellung, um sich im Gedränge zurechtzufinden. Er schloss

Freundschaften mit anderen Tieren und es gelang ihm schließlich, seine Familie wiederzufinden.

Aber das war nicht das Ende seines Abenteuers auf dem Oktoberfest. Am nächsten Tag begegnete Sammy ein Bierlieferant, der ihn für einen verkleideten Menschen hielt und ihn auf einen Wagen einlud, um mit ihm durch die Menge zu fahren. Sammy war überglücklich und genoss die Fahrt. Als er die Menschen um ihn herum betrachtete, wurde ihm klar, dass er tatsächlich wie ein Mensch aussah. Die Leute lachten und applaudierten ihm, als er vorbeifuhr, und Sammy konnte nicht anders, als mitzulachen. Es fühlte sich so gut an, von anderen geschätzt und bewundert zu werden.

Aber als die Fahrt vorbei war und Sammy vom Wagen stieg, wurde ihm klar, dass er seine Katzenidentität verloren hatte. Er hatte so hart daran gearbeitet, sich in der Welt der Menschen zurechtzufinden, dass er vergessen hatte, wer er wirklich war. Zusätzlich hatte er seine Familie vernachlässigt, die ihm diesen Traum, zum Oktoberfest zu gehen, ermöglicht hatten.

Sammy beschloss, zurückzukehren und seine Familie um Vergebung zu bitten. Er wollte wieder eine Katze sein und in einer Umgebung leben, in der er sich sicher und geborgen fühlte. Seine Familie begrüßte ihn mit offenen Armen und Sammy war froh, wieder zu Hause zu sein.

Aber er hatte auch etwas Wichtiges gelernt: dass es gut war, Träume zu haben und hart zu arbeiten, um sie zu erreichen, aber dass es auch wichtig war, sich selbst treu zu bleiben und nicht zu vergessen, wer man wirklich war. Er beschloss, dass er das Oktoberfest in Zukunft als Katze erleben würde und dass er sich von niemandem mehr dazu bringen lassen würde, seine Identität zu verleugnen.

Und so lebte Sammy glücklich und zufrieden mit seiner Familie, immer noch begeistert von der Idee, das Oktoberfest als Katze zu erleben. Er träumte von Abenteuern, die er in Zukunft erleben würde, aber er wusste auch, dass er sich selbst immer treu bleiben würde, egal wohin ihn das Leben führte.

TESTE DICH SELBST

1. Was war Sammys großer Traum?

2. Wie fühlte sich Sammy, als er die Freiheit auf dem Oktoberfest genoss und neue Freunde fand?

3. Was hat Sammy am Ende der Geschichte gelernt?

DISKUSSION -- SCHREIBEN ODER SPRECHEN

1. Hast du jemals einen Traum verfolgt, der dich dazu gebracht hat, dich selbst zu vergessen? Wie hast du dich danach gefühlt?

2. Welches ist dein Lieblingsevent oder Festival und warum? Würdest du jemals versuchen, es als jemand anderes zu erleben?

3. Wie wichtig ist es deiner Meinung nach, sich selbst treu zu bleiben und warum? Gibt es eine Situation, in der du das Gefühl hattest, dass du dich selbst verleugnet hast, um anderen zu gefallen?

1. Sammy träumte davon, aufs Oktoberfest zu gehen und bat seine menschlichen Besitzer, ihn mitzunehmen. Er bereitete sich Wochen im Voraus auf das Ereignis vor und freute sich sehr darauf.

2. Anfangs genoss Sammy die Freiheit auf dem Oktoberfest, aß viele traditionelle deutsche Gerichte und freundete sich mit vielen interessanten Personen an. Er fühlte sich geschätzt und bewundert, aber nach einer Weile fing er an, seine Familie zu vermissen.

3. Sammy hat am Ende der Geschichte gelernt, dass es wichtig ist, Träume zu haben und hart daran zu arbeiten, sie zu erreichen, aber dass es auch wichtig ist, sich selbst treu zu bleiben und nicht zu vergessen, wer man wirklich ist. Er beschloss, dass er das Oktoberfest in Zukunft als Katze erleben würde und dass er sich von niemandem mehr dazu bringen lassen würde, seine Identität zu verleugnen.

LILYS ÜBERRASCHUNG

Lily war eine wunderschöne, flauschige weiße Katze mit einer pfiffigen Persönlichkeit. Sie lebte mit ihrer Besitzerin, einer netten Frau namens Rachel, in einem gemütlichen kleinen Haus am Meer. Rachel liebte Lily mehr als alles andere und sie verbrachten ihre Tage damit, im Haus herumzuliegen, mit Spielzeug zu spielen und zusammen auf dem Sofa zu kuscheln.

Eines Tages beschloss Rachel, Lily mit an den Strand zum Schwimmen zu nehmen. Lily war noch nie am Strand gewesen und war aufgeregt, alle Gerüche zu erkunden. Sobald Rachel sie auf den Sand setzte, rannte Lily aufgeregt zum Wasser und miaute.

Rachel folgte Lily bis zum Wasserrand und sah zu, wie die Katze im flachen Wasser planschte, Möwen jagte und mit den Wellen spielte. Lily schien die Zeit ihres Lebens zu haben, und Rachel konnte nicht anders, als über den Anblick ihres geliebten Haustieres zu lächeln, das so viel Spaß hatte.

Als die Sonne zu sinken begann, beschloss Rachel, dass es Zeit war, nach Hause zu gehen. Sie rief nach Lily, die nun bis zur Taille im Wasser stand und einer besonders hinterhältigen Möwe nachjagte. Aber Lily schien Rachels Rufe nicht zu hören und spielte weiter im Wasser.

Rachel begann sich zu sorgen, dass Lily von den Wellen fortgespült werden könnte, also watschelte sie ins Wasser, um sie zu holen. Als sie sich Lily näherte, schwamm die pfiffige Katze plötzlich los und tauchte unter den Wellen ab.

Rachel geriet in Panik, rief nach Lily und suchte verzweifelt nach. Aber egal wie sehr sie suchte, sie konnte die Katze nicht finden. Gerade als Rachel die Hoffnung aufgeben wollte, hörte sie ein leises Miauen aus Richtung des Strandes. Sie drehte sich um und sah Lily auf dem Sand stehen, sich schüttelnd und ziemlich zufrieden aussehen.

Rachel lief zu Lily und nahm sie in die Arme, drückte sie fest und überschüttete sie mit Küssen.

"Lily, du freches Kätzchen! Du hast mich so besorgt gemacht! Ich dachte, ich hätte dich für immer verloren!"

Lily schnurrte nur und stupste Rachels Wange an, als ob sie verstand, dass sie ein bisschen Ärger verursacht hatte. Von diesem Tag an passte Rachel genauer auf Lily auf, wenn sie zum Strand gingen, aber sie konnte ihrem geliebten Haustier nicht lange böse sein. Wie könnte man wütend auf eine Katze bleiben, die so gerne schwimmt wie Lily?

Im Laufe der Jahre besuchten Lily und Rachel weiterhin jeden Sommer den Strand. Lilys Liebe zum Schwimmen schien nur zu wachsen, und sie verbrachte stundenlang jeden Tag damit, in den Wellen zu planschen und Möwen nachzujagen.

Eines Tages bemerkte Rachel, während sie am Strand waren, dass Lily sich seltsam verhielt. Sie tauchte immer wieder unter Wasser und tauchte dann wieder auf und miaute aufgeregt. Rachel konnte nicht herausfinden, was Lily ihr zeigen wollte, bis sie einen kleinen, glänzenden Gegenstand im Sonnenlicht bemerkte.

Rachel folgte ihr ins Wasser und holte den Gegenstand heraus, der sich als wunderschöner goldener Ring herausstellte. Als sie ihn untersuchte, erkannte sie, dass es sich um ein altes Familien-Erbe handelte, welchen sie seit Jahren vermisst wurde. Sie hatte überall danach gesucht, aber konnte ihn nie finden.

Wie sich herausstellte, war Lily beim Schwimmen auf den Ring gestoßen und hatte die ganze Zeit versucht, ihn Rachel zu zeigen. Rachel war überglücklich über die Entdeckung und konnte Lily nicht genug für ihre Hilfe danken.

Von diesem Tag an brachte Rachel Lily immer mit, wenn sie zum Strand ging. Sie wusste, dass ihre geliebte Katze ein besonderes Talent hatte, um Schätze zu finden, und sie konnte es kaum erwarten, welche weiteren versteckten Schätze sie zusammen aufdecken würden.

Für Lily war es jedoch einfach nur schön, ihre Tage damit zu verbringen, in den Wellen zu schwimmen und zu spielen. Sie liebte nichts mehr als das Gefühl des kühlen Wassers auf ihrem Fell und die Aufregung, Möwen und andere Strandtiere zu jagen.

TESTE DICH SELBST

1. Was passierte, als Rachel beschloss, dass es Zeit war, nach Hause zu gehen?

2. Was hat Rachel entdeckt, als sie Lily ins Wasser folgte?

3. Was war das besondere Talent von Lily?

DISKUSSION -- SCHREIBEN ODER SPRECHEN

1. Hast du schon mal dein Haustier an einen ungewöhnlichen Ort gebracht, an dem es noch nie zuvor gewesen ist? Wie hat es reagiert?

2. Gehst du gerne zum Strand? Was ist dein Lieblingsstrand und was machst du dort gerne?

3. Hast du schon mal etwas Wertvolles verloren und später wiedergefunden? Wie hast du dich dabei gefühlt und wie hast du es wiedergefunden?

ANTWORTEN

1. Rachel beschloss, nach Hause zu gehen, als die Sonne zu sinken begann.

2. Rachel hat einen goldenen Ring gefunden, welches ein Familienerbstück war und seit Jahren vermisst wurde.

3. Lilys besonderes Talent war, Schätze am Strand zu finden, wie in der Geschichte gezeigt wurde.

Great work! Why not improve your speaking too?

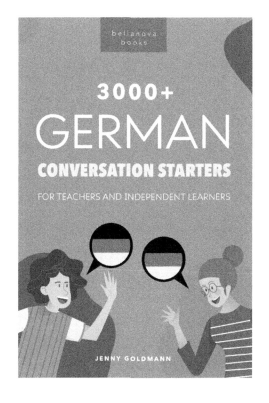

Available now in all major online bookstores.

Thanks for reading this book. We hope you've had a great time with it and improved your German!

As authors, we're always eager to hear what you think, so we'd love it if you could take a moment to leave a review. Your honest feedback helps us improve our writing and also helps other readers decide if this book is right for them. Plus, we'd just really appreciate it!

Visit us at
www.bellanovabooks.com
for more great books to continue your learning journey.

Printed in Great Britain
by Amazon